トークの教室

「面白いトーク」はどのように生まれるのか

藤井青銅
Fujii Saydo

河出新書
073

はじめに

私の肩書は「作家・脚本家・放送作家」と書かれることが多い。「作家」はわかりやすいでしょう。小説やエッセイ、コラム、そして今まさにあなたが手に取っているこういう本も書く人のこと。「脚本家」は「シナリオライター」とも呼ばれます。映画やドラマの台本を書く人のこと。ストーリーを考え、セリフを書く。これもまあ、わかるでしょう。さて、最後の「放送作家」の説明が難しい。

テレビを見ていて、ラジオを聞いていて、「これ、どこまで台本があって喋ってるんだろう?」と思うことがありませんか。さらに一歩踏み込んで、「台本があるとしたら、どんな書き方をしてるのか?」と思うことは?

その疑問、実は当の放送作家も同じで、自分が関わっていない番組に対しては「あれはどこまで台本があるのか?」「どういう書き方をしているのか?」と思うことがあります。番組により作家により、放送作家の作業にはいろんなパターンがあるので、一概に「こういう仕事です」と説明できないのです。

放送作家として、私はラジオの仕事が多い。ラジオはとくに、台本のある・なしが疑問のメディアです。なにしろ見えないのですから、実は作家によって書かれた台本を喋り手が丸々読んでいてもリスナーにはわかりません。

もちろん、企画を考え、コーナーを展開させるのも作家の仕事です。そこには台本が必要な場合が多い。しかし、昼間の番組では、パーソナリティーとアシスタントが当意即妙のやりとりをしています。深夜放送では、えんえんと一人喋りをしている場合もあります。あれが全部台本になっているとは思えない。

では、大まかな進行くらいは書かれているのか？

「でも、『フリートーク』とか言うじゃないか。フリーなんじゃないの？」

と思うでしょう。

「じゃ、放送作家はいったいなにをやってるんだ？」

とも思うでしょう。

時々、放送から作家の笑い声が聞こえることもあります。

「笑うことが仕事？　気楽な商売だな」

う～ん…、半分当たっていて、半分はずれです。一見なにもしていないような番組でも、放送作家はそれぞれのやり方で仕事をしています。

実はカッチリと台本を書いている場合もあるし、ラフなメモ程度の台本というか進行表を書いている場合もある。その台本通りに進むこともあれば、まったく役に立たないこともあります。そしてなにも書いていない場合も、あります。

なにも書かなくても、事前に綿密な打ち合わせをする場合もあります。ラフな確認をするだけの場合もあります。そしてなにもしない場合も、あります。

まったくもって、不思議な仕事です。

詳しくは本文中に書きますが、私は芸人オードリーがブレイクする前から、ラジオのトーク番組で会っていました。その後、縁があって『オードリーのオールナイトニッポン』を一緒にやって、まもなく十五年。その間毎週、現在はおもに若林さん〔若林正恭《まさやす》〕のトークの相談に乗っています。以前は春日さん〔春日俊彰《としあき》〕ともやっていました。芸人さんでいえば、ずっと昔、新人の伊集院光《ひかる》さんと同じようなことをしていた時期もあります。といって、私がとくになにかをしたというわけではありません。アドバイスというのもおこがましく、たまたま彼らの才能が開花する時そばにいたというだけ。

現在も私は、生放送前に若林さんの話を聞いて「それ面白いですねえ」とか「こういうのもあるかもね？」などと言っているだけ。壁打ちの相手ですね。ほとんど雑談に終始する時だってあります。それでも時々雑談の合い間に、

「青銅さんがトークのやり方を教える教室とか本とかあればいいのに」

と若林さんは言います。それに対して私の答えはいつも同じ。

「いやいや、そんなもの、芸人さん以外で必要とする人はいないでしょう」

「そんなことないと思いますよ。面白い話をしたいって人はいます」

「いないですよ」

「仲間内であいつの話は面白いと言われたいとか、合コンで女の子にウケたいとか」

「う〜ん……。そんなの少数ですよ。需要がない」

「需要、あると思いますけどねえ……」

毎度こんな繰り返しで、なんとなく話は終わります。

そんなある時、知り合いの大学の先生に呼ばれ、ゲストスピーカーとして教室に行ったことがあります。マスコミ志望者たちのゼミでした。放送現場についてあれこれ喋ったあと、最後の質問タイムになりました。すると一人の学生が、

「面白いトークをするにはどうしたらいいんでしょうか？」

と質問したのです。おそらく私の経歴を事前に調べた上での質問なのでしょう。でも、私はビックリしました。

「お、面白いトーク？　なんのために？」

「ボク、いま就活中なんです」

「?」

「面接の時、自己アピールのトークが苦手なんで、上手なやり方を知りたいと思って」

「…あ、面接ね。そうかあ」

なるほど。そういう需要があるとは思いもしませんでした。


芸人だけではなく、私はこれまで、歌手や役者さんの番組も担当してきました。ラジオ番組の中ではたいてい近況トークがあります。すらすら喋れる人もいれば、悩む人もいます。そんな時は、トークの相談に乗る。一緒に番組を作るとはそういうことで、放送作家はみんな、やり方の違い・程度の差こそあれ、似たようなことをしているはずです。

番組でなんのために面白いトークをしたいのかといえば、聞いている人・見ている人、つまりお客さんに喜んでもらうため、そして自分のファンになってもらうため。考えてみれば、相手を喜ばせたい・自分を知ってもらいたいというのは、タレントであろうと普通の人であろうと同じかもしれない。

そこでこの本では、私がこれまでやってきた方法を整理して、考えをまとめてみます。もちろん違うやり方もあるのでしょうけど、私は私のやり方を書くしかない。なにかの参考になれば嬉しいです。

世の中には、話し方やトーク術の本がたくさんあります。でもたいていは「交渉術」や「プレゼン術」あるいは（ビジネスのための）「雑談力」みたいな本。「面白いトークをするには」なんて本はあまり見たことがない。

ちょっと変わった本になるかもしれません。でも、世の中、つまらないよりは面白い方がいいじゃないですか。

目次

第6章 「ニン」に合うトークとは？ 201

第7章 トークの居場所 227

第1章

「面白いトーク」という呪縛

あの人の話はなぜ面白い？

テレビやラジオでは、トークが面白いタレントさんがいっぱいいます。たいていは芸人さんで、「え！　そんなことってある？」と驚く話や、他のタレントさんとの意外な話を次々と繰り出したりします。

「なんであんなに珍しいエピソードがいっぱいあるんだろう？　やっぱり芸人さんはいろんな経験をしているからだろう」

と思います。

あるいは、共演者のちょっとした言い間違いとかなにげない一言を聞き逃さず、そこから話題をどんどん広げていくこともあります。

「すごいなあ。よくそこに気がつくなあ」

と感心します。

しかし時に、芸では爆笑なのにトークになると、なぜかあまり話がはずまないという芸人も存在する。いや、はずまないどころか寡黙になってしまう人もいる。芸人の間では「平場に強い／弱い」という言い方をします。漫才やコントなどの作り込まれた芸に対して、フラットな場でのトークという意味でしょう。

一方、トークの面白さには定評があるタレントさんだけど、

「あれ？　よく考えてみれば、この人ミュージシャンだ」ということもあります。役者の場合もある。さらにもっとよく考えてみたら、タレントになる前はプロのスポーツ選手だったりすることも。

本業は人を笑わせる職業ではないのに「平場のトーク」は面白い。その逆に、本業の漫才やコントでは大爆笑をとっているのに「平場のトーク」ではあんまり……。その違いはなんでしょう？

なにもタレントに限りません。あなたの周りでも、「あの人の話はなぜか面白い」という人がいるでしょう。その逆に「あの人の話って退屈だよな」という人もいます。普通の人間の日常は平場だらけ。ところが、その平場のトークでは定評があるのに、プレゼンやスピーチのような場所で話すと意外につまらなくなるケースもあります。

弁舌さわやかにハキハキ喋る人の話が楽しいとは限りません。知識が豊富で、頭がよく、理路整然と…退屈な話をする人もいる。逆に、話の筋道はメチャクチャだけど、なぜか話が魅力的な人もいます。学校や職場ではお喋りがうまい人と言われているのに、家庭ではほとんど無言という人もいます。

どうやら、トークが面白いかどうかというのは、職業とは関係なさそうです。喋りの流《りゅう》暢《ちょう》さとも関係ない。当然のことながら、学歴ともルックスとも関係ありません。場所や環境とは…これは関係ありそうです。かしこまった席だと、普通トークははずみません。誰しも経験があることだと思います。警戒心を持っている人たちを相手にどんなトークをしたところで、聞いてはくれないでしょう。もっとも、そういうアウェイな環境でもなにかの偶然がキッカケでトークが盛り上がることもあります。場の作用というものは、マイナスにもプラスにも働くことがあります。

本当は、誰でもそこその面白いトークはできるのだと思います。人は毎日の生活の中でちょっとした出来事に遭遇したり、アクシデントがあったりします。気になったことや、心を動かされたことだってあるでしょう。そういうことをトークとして喋れば、相手に笑ってもらったり、共感されたりする…はず。

では、なぜそれができないのか？《面白いトーク》という言葉には、実はいろいろな呪縛があるからではないかと思っています。

プロでも意外に喋れない

以前『フリートーカー・ジャック！』というラジオ番組を企画したことがあります（2

005～2007年 ラジオ日本）。それは、芸人さんにラジオでフリートークをしてもらう番組。企画意図はハッキリしています。企画書にはこういう内容を書きました。

「メディアで生き残る芸人は、結局のところトークができるかどうか。一発芸やキャラ芸で一時的に売れても、トークができなければ長続きしない。ラジオやテレビでのトークは、お笑いの劇場でのトークとは違う。売れてメディアに出ればそれを学べるが、売れない限り学べない。堂々巡りだ。なので、まだ売れてない人にそれを練習してもらう番組」

そこで、各お笑い事務所に「年齢三十歳前後で、まだ売れていない芸人さんを連れてきてほしい」という、大変失礼なお願いをしました。

芸歴はそこそこあるので劇場では笑いをとっている。しかしまだメディアでは売れてない。生活費は居酒屋とかコンビニのバイトで稼いでいる。芸人なので人当たりはよかったりする。すると妙に信頼され、「正社員にならないか？」などと声をかけられる頃です。当時は三十歳ぐらいが「芸人を続けるか、そろそろ見切りをつけて他の仕事をするか」のボーダー年齢でした。

のちに、もっと遅くなってから売れる人が現れたので、現在ボーダー年齢は四十歳になったと言われているようです。ここにも日本社会の高齢化の波が！

この番組に、まだ暗中模索中だったオードリーや、ナイツや、いとうあさこ、ＴＡＩＧＡ、落語家の立川こしら…といった方々が来てくれました。コンビの場合は二人ではなく、一人ずつで喋ってもらいます。二人の掛け合いではなく、リスナーに向かって喋ってもらいたいからです。

私は、事前に一人一人に、

「今日はどんな話を持ってきたの？」

とざっとトークの概要を聞かせてもらい、

「そこんとこわかりにくいから、もう少し詳しく」

とか、

「そこは、こういう言い方をした方がラジオでは伝わるよ」

などと簡単なアドバイスをして、スタジオで喋ってもらいました。

とはいえ、みんな芸歴十年前後の芸人さんです。まだメディアで売れてないとはいえ、お笑いライブでは笑いをとっている方々。トークにも自信を持っているはず。おそらく内心では、

（いつも劇場ではフリートークでも笑いをとってるんだ。こんなヤツにアドバイスなんかされなくたって、できる）

と思っていたでしょう。

ところが、「一人で五分喋ってください」とお願いすると、これが意外にできないのです。実際、喋ってみて（あれ？　おかしいな、こんなはずじゃない。いつも劇場ではうまくいってるのに……）と納得がいかない様子の方もいました。

「フリートーク」という名の呪縛

劇場では受けている芸人さんでも、ラジオでのフリートークがうまくできない理由はいくつかあります。

①劇場にいるお客さんは芸人のファン。基本、あなたのことを知っている。が、ラジオ・テレビでトークを聞いてもらう相手は、あなたのことを知らないと思った方がいい。そういう人に向けて、どんな話題を選ぶか？

②お金を払って劇場の椅子に座っている人は、トークがあまり面白くなくても席を立って出ていくことは、まずない。が、ラジオ・テレビでは簡単にスイッチを切ることができる。スイッチを切らせないためにはどういう話し方をすればいいのか？

③劇場で目の前のお客さんの反応を前提にすると、トークはある程度アドリブで時間が持つ。コンビの相方や他の芸人がいれば混ぜっ返してもくれる。が、多くの場合ラジオ・

テレビでは目の前にお客さんはいない。そして自分一人だ。トークのネタを用意していないともたない。

…というような違いを説明することもありました。

とくに、この③。ふだんライブで笑いをとっていて、自分の喋りに自信がある人ほど「フリートークだから、自由なトークなんだろ？　内容なんか用意しなくても、オレはいつもアドリブでできる」と思うようです。そこに芸人としての美学を持っている人もいるでしょう。しかしたいていの場合、番組ではうまくいかない。

私たち素人だと、そんな恐ろしいことは考えません。「ここで少しお話をお願いします」なんて言われたら、そりゃ事前に準備します。準備して、話す内容をあらかじめ紙に書いたりもします（それはそれであまりよくない方法だということは、あとで説明します）。

「フリートーク」というのは和製英語のようですが、この「フリー」という言葉は大変魅力的です。自由、勝手気まま、当意即妙、融通無碍《むげ》、アドリブ……。

ドラマや漫画では、たまたまふらっと通りかかった登場人物が見事な技を見せるというカッコいいシーンがあります。剛速球を投げてみたり、すごいシュートを決めてみたり、あるいは素晴らしいテクニックでピアノを弾いたり、単純にケンカが強かったり……。

「フリートーク」という言葉のイメージは、ちょっとそれに似たところがあるのではないでしょうか。なにも準備してないのにさらっと面白いトークをすれば、それはもちろんカッコいい。

けれどドラマでも漫画でも、そのカッコいい登場人物は、実はこれまで厳しい訓練を続けていた…なんて過去が明かされます。それはそうでしょう。なんの準備もしてないのに高度な技を披露できるわけがありません。

芸人さんでなくても、一般に自分は喋りがうまいと思っている人ほど、「フリートーク」の「フリー」という言葉に引きずられるケースがあります。なにも準備せずに喋ることがフリーではない。ある程度の準備をしているからフリーに（自由な感じで）喋れるのです。では、その準備はどうすればいいのか？

「エピソードトーク」という名の呪縛

もう一つ「エピソードトーク」という言い方もあります。「エピソード」と言われると、なんとなく物語性のある話のような気がしませんか？　映画『スターウォーズ』は「エピソード1」「エピソード2」…とシリーズでやっていますしね。

エピソードトークとは、ドラマチックで、ある程度ボリュームがある出来事の話…というイメージでしょうか。たとえば「どこかに出かけたら、とんでもない目にあった」とか「貧乏時代に、意外な人に助けられたことがある」とか「初デートの時に、すごく恥ずかしい失敗談がある」とか。

トークがうまいタレントさんは、そういう類《たぐ》いの話をよくします。聞いているこっちとしては、「すごいなあ。この人いろいろな経験をしてるなあ」と感心し、ひるがえって「自分はごく普通の人間だ。とくにドラマチックな人生を送ってきたわけではないから、面白いエピソードなんかないよなあ」と思ったりもします。

しかし、人生で苦労をしたから、変わった環境で育ったから、どこか変わった場所に出かけたから、珍しい誰かに会ったからといって、面白いエピソードが生まれるとは限らない。いや、実はエピソードはあるのですが、本人がそれに気づいていないだけというケースもあります。

『フリートーカー・ジャック！』の時、まずは、まだまったく無名だったオードリーの若林さんが一人でやってきました。のちに有名になる、相方・春日さんのアパート「むつみ荘」でやった「小声トーク」ライブの話がとてもユニークなので、「それ、面白いトークになるよ」と言ったのを憶えています。

それから何度も来てもらい、いろいろな種類のフリートークをやってもらいました。そのほとんどはもう忘れてしまいましたが、実は今でも私がよく憶えているのは「トークにならなかった話」です。

さすがの若林さんも、回数を重ねると手持ちの話がなくなってくる。するとある時、彼はこう言ったのです。

「実はこの前、なにかトークができないかなと思って高尾山に登ってきたんですが…、なにも起きないもんですね」

気持ちはよくわかります。いつもと違う場所に行っていつもと違うことをすれば、なにかアクシデントが起こり、面白いトークが生まれるかもしれない…というのは、たいていの若手芸人が思うことです。しかし、やってみても、まずなにも起こらない。

私は笑って答えました。

「アハハ、むかし伊集院さんも同じことを言ってたよ」

この時より前、私はまだ若手だった伊集院光さんと番組をやっていたことがあります（『伊集院光のOh!デカナイト』。1991〜95年 ニッポン放送）。当時表参道だかどこだったか、オシャレなビルができた。あれは当然、カッコよくてお金持ちの若い男女のための商業施設です。伊集院さんは、

「それって俺に一番似合わない場所じゃないですか。そこへノコノコ出かけていけばなにかトークができるかもと思って行ってみたけど…、なにも起きないもんですね」

と残念がった。

私は若林さんに、

「わざわざエピソードを作りに行っても、とくになにも起こらないもんだよね。みんな一回、そこを通るんだ。それがわかっただけでもいいんじゃないの」

と言ったのを憶えています。「行ったけどなにも起きなかった、というトークならできるかもしれないけど」と。

普通の人の日常では、そうそうビックリするような出来事はない。エピソードという言葉を「ドラマチックな出来事」ととらえてしまうと、「自分にはそんなものない」となります。なに、そんなもの、みんなないのです。面白いトークを聞くと、そこにすごいエピソードがあったように感じるだけなのだと思います。聞いてる人にそう思わせることができたら、それはうまいトークだということかもしれません。

「オチ」の呪縛

友達になにか話をしていると、たまに、

「その話、オチは？」

とツッコんでくる人がいます。とくに関西の人が多い。いや、これは偏見ですかね。関西芸人に影響された全国の人、でしょうか（これもまた偏見？）。

芸人同士の場合はそんな風にツッコむのも笑いを生みますが、芸人ではない普通のタレントさんに対して、私はいつも、

「オチなんか、なくたっていいんですよ」

と言います。誤解をしないように詳しく言っておきますと、

「トークは、途中の話が面白ければオチはなくてもいい。もちろん、あってもいいけど」

ということ。

たとえば、最後にアッと驚く大ドンデン返しの大オチがあるとします。しかし、そこに至るトークがえんえんと十分間退屈だったらどうでしょう？　そんな話、聞く気になりますか？

逆に、途中のトークが面白かったら、最後は話の区切りさえつけばとくに大オチなんかなくてもいいのです。もう一回書きますが、あってもいいのですが。

この話をする時に思い出すことが二つあります。「落語」と「欽ちゃん」。

まず「落語」から。落語は「おとしばなし」とも言いますから、たしかに最後に「オチ（通《つう》は気取って、サゲなんて言います）」があります。世の中の多くの人は、落語という芸は知っていても、落語を聞いたことがある方は、実は少ない。たいてい、テレビ番組『笑点』の大喜利くらいの認識でしょう。あれは落語家の余興ですから、一席の落語とは別物です。落語の演目として、多くの方がなんとなくイメージできるのは「寿限無《じゆげむ》」「饅頭こわい」「時そば」くらいでしょうか？

ですから、なにか落語の話をすると、すぐに、

「その落語のオチはなんですか？」

と聞いてきます。

ところが少し落語を知っている人は、そんなことは言いません。「落語のオチは、いいかげんなものも多い」ということを知っているからです。もちろんよくできたオチもあるのですが、とってつけたようなオチや、ただのダジャレ、今となっては意味がよく通じないオチもあります。最後に「そこは私の寝床です」なんてキメられても、普通の人は「？」でしょう。

さらに落語は、噺《はなし》の途中で平気で切り上げたり、「〜の由来話でした」なんて言って終わる場合もあります。つまり途中が面白ければ、いちおう区切りがついたところで終われ

ばいいのです。

もう一つ。欽ちゃん〔萩本欽一〕に番組で、コント55号当時のことを喋ってもらったことがあります。萩本さんは新人時代、プロデューサーにコントのネタ数を聞かれ、

「無限！」

と答えたとのこと。設定さえあれば、欽ちゃんは二郎さん〔坂上二郎〕をいじって、ツッコんで、転がして、いくつでもコントができるということ。かつて岩城未知男さんが出した『コント55号のコント』という古い本を持っています。台本集です。

岩城さんは、一般にはコント55号の座付き作家と言われている方。この本の「作者の言葉」には「私は、彼等のコントを二千篇近く書いて来た」とある（たぶんシャレだと思う）。さらに「私は勝手に作者の立場でコントを書き、それを素材に彼等も、自由に演者の立場で別のコントに作り直すと云う様に、互いに、別の所で、別の作業を続けて来た」とある。これは本当でしょう。

ですから、読んでみると一本のコント台本としては実に短い。その設定のキモをつかんで、欽ちゃんは長いコントを作り出していたんでしょう。

では、コントのオチは？

「ないもん。オチって、ドカーンと受けたらオチだよ」

と萩本さんは答えました。つまり爆笑のコントを展開して、持ち時間が経過して大きな笑いがきたところで、欽ちゃんが「おしまい！」と頭を下げたら、結果的にそこがオチになるということ。

たしかに、『コント55号のコント』を読んでも、どのコントもオチはなんとなく一区切りになっているだけです。

そう言われて思い出してみると、

「その話、オチは？」

とツッコまれる場合は、話の展開が面白くない時ではないでしょうか。だらだらとたいして面白くもないトークを続けているから、せめてオチくらいバシッと決めてくれという意味でツッコんでいるのでしょう。トークの内容が面白ければ、わざわざ話の腰を折ってまで「オチは？」などとは聞かないのではないでしょうか。

「面白い＝笑える」の呪縛

一般的に、「面白い＝笑える」と思っている方が多いでしょう。もちろんそれも大きな要素ですが、「面白い」は笑いだけではありません。

たとえば「このミステリー面白いよ」と誰かに薦《すす》める時、多くの場合そこに笑いはありません。ハラハラ、ドキドキ、アッと驚く謎解きが「面白い」のです。サッカーの試合だと、芸術的なシュート、神がかりのキーパー、針の穴を通すようなパスの応酬で点を取ったり取り返したりの試合は「面白い試合」ですが、この「面白い」も、笑いではありません。

「へ〜、そうなのか」と感心するのも、「なるほど！」と納得するのも、「すごい！」と驚くのも、「面白い」。「ええ話やなあ」も「せつないなぁ」も、「ワクワクする」も「感動する」も「泣ける」も…すべてが「面白い」。「面白い」にはそういう広い意味があります。

語源というのはどれもコジツケの感があるのですが、「目の前（面）」が「パッと明るく（白）」感じるから「面白い」、だと言われています。たしかに「そうだったのか！」とか「すごい！」は目の前がパッと明るくなる感じ。笑いもそうです。

ですから、笑いというのは「広い意味での面白い」の中にある「狭い意味での面白い」だと思った方がいい。芸人さんは目の前の人に笑ってもらいたいから、そこにこだわるのはよくわかります。けれど普通の人ならば、あまり「面白い＝笑い」に縛られると、身がすくんでトークなんかできなくなります。

そう、トークは笑えなくてもいいんです。ここでも誤解をしないように急いで言っておきます。もちろん人に笑ってもらうのは嬉しいし、場の雰囲気もよくなる。笑えるトークはいいことです。けれど、笑わせることが目的ではなく、なにかを伝える時に笑いもあるといいね、なくてもいいけど、ということ。

こうやって見てくると、「エピソード」にも「オチ」にも「笑い」にも、そんなに縛られなくてもいいと思いませんか？　もっと自由に喋ってもいい。その自由さが「フリー」なのです。そう思うと、ちょっとは気が楽になります。

とはいえ、「なにをどう喋ろうと、まったくの自由。好きにやっていいよ」と言われたら、人はかえってとまどうものです。

唐突ですが、フィギュアスケートに「フリー」という演技があるのはご存じでしょう。あれを自由気ままに滑っていると思っている方はいない。スピンとかジャンプとか、あらかじめ決められたいくつかの要素を盛り込んだ上で、組み立て方や表現は自由にしていいよという意味の「フリー」です。だから音楽は自由に選び、（たぶん）スケート技術とは関係ないポーズをとったりもします。

トークもそれに似ているかもしれません。まったくの自由でなんの予定もない状態では喋れません。フィギュアのように、いくつかの要素があって、それをどう組み合わせるかを考えた方がやりやすい。その中でわりと手堅い要素が「オチ」や「笑い」です。これが決まると、恰好がつく。フィギュアだとそれは「トリプルアクセル」とか「4回転ルッツ」とかの大技にあたるのかもしれません。

「イナバウアー」は、荒川静香さんの金メダル演技（2006年トリノオリンピック）で「こんな大技もあるのか！」と驚きました。ところが、フィギュアスケートに詳しい人によると、イナバウアーそのものは要素間のつなぎに使われるテクニックとのこと。それを荒川さんは、あの大きく背中を反らせる演技で、魅せる要素にしたのです。

トークの場合も同様ではないかと思います。とりたてて大きな出来事ではなくても、その人なりのやり方で面白くなる、と。

人は誰かに話を聞いてもらいたい

そうすると、「面白いトーク」とはなんだろうということになります。

私は、「興味を持って話を聞いてもらえること」ではないかと思っています。

お笑い芸人がトークを聞いてもらいたいのは、笑ってもらいたいから。笑いという目的を達成する手段としてのトークです。笑いのためには必ずしも喋りである必要はなく、顔芸でも一発ギャグでもいいわけです。

ビジネスマンのトークは、トークそのものが目的ではありません。その先にある商談をまとめたいから、商品を買ってもらいたいからです。これも手段としてのトーク。

では、私たちが仲間内でするトークは？　なにかを売るためにやっているわけではありません。笑ってもらいたい時もあるけど、笑いなしの話をする時もある。そういう意味では、純粋トーク。ただ、話を聞いてもらいたいのです。

結局のところ、「私の話を聞いてほしい」というのは「私に興味を持ってほしい」ということなのかもしれません。流行りの言葉でいう「承認欲求」でしょうか？

たぶん、人はいつの時代も、誰かに話を聞いてもらいたいのです。

とはいえ、声高に「聞いて、聞いて！」と言っても誰も耳を傾けてはくれません。他人の自慢話にはつきあいたくありません。いわゆる「かまってちゃん」が繰り返すマイナスな発言も、煩わしいだけです。トークではないけれど、ＳＮＳへの書き込みを見ていればわかります。長文でしつこく自己主張をされても、（本人は満足でしょうが）読む気にはなりませんから。

人は誰かの話を聞きたい

ドライブをしている時に自分の好きな音楽をかける人は多い。かつてはお気に入りのカセットやCD。今はスマホからBluetoothで飛ばしたりするのでしょう。閉ざされた空間で、好きな曲を大きな音で聞けるのは気分がいいものです。

しかしそれも長時間に及ぶと、ちょっと飽きてきて、「人の声」が欲しくなることはありませんか？　カーラジオをつけて、誰だかよくわからないパーソナリティーの声を聞いたり、なんなら交通情報のお姉さんの声を聞くだけでも、ちょっとほっとすることがある。若い時、夜中に一人で起きていてふと寂しくなり、なんとなくラジオの深夜放送を聞いてほっとした、という経験がある方もいるでしょう。人は、誰か人の声が聞きたいと思う時があるのです。

以前、亀渕昭信さんに話をうかがったことがあります。かつてディレクターながらオールナイトニッポンのパーソナリティーとして人気になり、のちにニッポン放送の社長にもなった方です。亀渕さんが入社した時は、すでにテレビの時代になりつつありました。そんな時どうしてラジオ局に入ったのかを尋ねると、

「当時もうラジオは斜陽産業と言われていたけど、人が話すのを聞くというのは基本だから、こういうメディアはなくならないだろうと思った」

といういうことを語っていました。

たしかに、それから何十年もたった今もラジオは消えずにあり、さらにPodcastなんていう音声だけのメディアも生まれています。そこでは、タレントではないごく普通の人たちが喋るコンテンツが人気になったりもしています。

たぶん、人は誰かの話を聞きたいのです。

オードリーの若林さんがキューバ旅行に行って帰ってきた時、例によって放送前の雑談でいくつかの話を聞きました。その中で印象に残ったのは、現地では夕方になると海に面した堤防の上に人々が並んで座り、沈む夕陽を見ながら笑い合ったり喋ったりしている、という話です。

「なにをするでもなく、ずーっと喋ってるんですよ。それが娯楽なんです」

「へえ～、面白いね。誰かと喋るっていうのは娯楽なんだね」

と私は感想を言って、前述の亀渕さんに聞いた話をした気がします。

「その話、本に書いた方がいいですよ」

なんて会話もしました。

もちろん、私なんかが言わなくても書くつもりだったでしょう。『表参道のセレブ犬とカバーニャ要塞の野良犬』（文春文庫）には、ちゃんとその描写がありました。

なんだ、「話を聞いてもらいたい人」と「話を聞きたい人」がいるのですから、トークなんてものは本来そう難しくはないはずです。

第2章

トークの構造

ラジオのアイドル番組

「元々喋りが上手な芸人さんに、青銅さんはどうしてトークのアドバイスができるんですか？」

と聞かれたことがあります。自分では考えたこともない質問でした。

言われてみれば、たしかにそうです。昔からお笑いが好きで、笑いの多い小説やドラマや、落語や腹話術脚本まで書いてきました。が、私は人前に出てトークをしてきたわけではありません。なのに偉そうにアドバイスなんかしてるんですから、考えてみれば、芸人さんに対して失礼な話です。

「なんでだろう？」

思いあたるのは、アイドル番組でした。

少し私のことを書きます。おつきあいください。私は「星新一ショートショートコンテスト」というものに入選して、雑誌にショートショートを書くようになりました。１９７９年です。その年に、ラジオでショートドラマの脚本も書くようになります。

本格的に放送作家になったのは１９８０年から。最初に担当したのは、キャンディーズから女優として復帰した伊藤蘭さんの番組。ラジオでした。蘭ちゃんは大スターです。一方こっちは駆け出しの新人作家。緊張しました。が、私とは同い年。彼女はとても気さくで、助かりました。あとにして思えば、ベテラン作家だとうまくいくのは見えるが、そうではなく、同世代の若手作家にやらせてみよう——という制作側の意図があったのかもしれません。当時はなんとも思いませんでしたが、今は、よく私なんかに声をかけてくれたなあ、と思います。

同世代というのはかなりのアドバンテージ。見てきたテレビ、聞いてきた音楽、読んできたマンガ、経験してきた流行は同じです。ただ、女性と男性という違いがあります。この時、ドラマ脚本ではなくパーソナリティー番組を書く、しかも女性の番組を男が書く、という方法を学びました。

そこから世間は80年代アイドルの黄金時代になります。当時はラジオとアイドルの蜜月期。注目のアイドルは、デビューとほぼ同時に自分のラジオ番組を持ちます。そこには、同じく若手のディレクターと作家がつきます。

私は、デビュー直後の松田聖子さんを始めとして、レギュラーとしては、松本伊代さん、富田靖子さん、柏原芳恵さん、原田知世さん、川島なお美さん、松本典子さん、井森美幸さん（アイドルだったのです）、河合その子さん、斉藤由貴さん…などといった方々の番組を担当しました。なぜか女性が多いのは、伊藤蘭さんでやり方がわかっていたからでしょうか。何年も続いた番組もあれば、半年で終わる番組もあります。特番やゲストを含めると、もっとたくさんのアイドルと仕事をしています。

私だけではありません。その頃の若手放送作家はみんなアイドル番組を担当しています。

アイドル番組とトークの関係

アイドルたちは、最初もちろんトークはうまくありません。当然です。たいていは高校生か卒業したばかりの年齢。普通は学校で、同世代としか喋っていません。ところがデビューしてラジオ番組を持つと、聞いているのは同世代のファンだけとは限りません。ファン以外の人がなんとなく聞いている場合もある。そのアイドルのことをよく知らない大人が、たまたま聞いている場合もあります。

そういう見えない相手に向かって喋るのです。番組にはいろいろな企画がありますが、一人でのトークもあります。デビューしたてのアイドルは常に新人。喋り方はわかりません。当時「炎上」という言葉はありませんが、今だとSNSにおいて、ちょっとした言い方のニュアンスで反感を買う、あるいはサービス精神で言ったつもりが逆に世間からバッシングを受ける、という危険性にも似ています。

言葉につまっても、テレビなら笑顔でなんとかなりますが、ラジオだとそうはいきません。

そんなの怖くて当たり前。高校生だった自分ができるかと考えてみれば、まず無理です。どうしてもトークに苦手意識がある人の場合は、相手役としてアナウンサーが入るケースもあります。仲のいいアイドルと二人でというケースも。相手がいればなんとかなる。一人で喋るのが大変なのです。

そこを手助けするのが、ディレクターや放送作家。といっても、私たちだって二十代半ば。世間でいえば若造ですが。ただ、こっちはアイドル番組を何本か経験してやり方がわかってきています。「そこは、もうちょっとわかりやすく説明した方が伝わりますよ」「そういう言い方だと誤解されるかもしれない。ちょっと言い方を変えてみたらどう？　たとえばこんな風に……」とか。本人が喋ろうかどうしようか迷っている時は、「ファンはそういう話こそ聞きたいと思う」などのアドバイスができます。

そうやって番組を三ヶ月もやっていると、彼女たちはしだいにトークが上手になるのです。いえ、面白いことを言うとかそういうことではありません。日常にあったことをわかりやすく語ったり、自分の気持ちをちゃんと自分の言葉で言えるようになる。誤解がないように言葉も選べる。なんだそんなこと…と思うかもしれませんが、人はこれが意外にできないものなのです。

ベストテン番組を見ていて気づいた

その頃、テレビではベストテン番組が花盛りでした。アイドルは番組で歌う前後に、司会者に短くインタビューされたりします。私はテレビを見ていて、ラジオをやっているアイドルとやっていないアイドルでは、受け答えが違うことを発見しました。

ラジオ番組をやっていないアイドルは、司会者の質問に「ハイ！」「そうですね」「嬉しいです」などの簡単な返事が多い。おそらく誰にも嫌われないために、マネージャーに教えられた無難な受け答えなのでしょう。いえ、それでもいいのです。可愛い女の子がニコニコ笑顔で答えていれば、ファンは十分に喜んでくれます。

ラジオ番組をやっているアイドルは、もちろんニコニコと答えるのですが、それに加えて「私は＊＊＊＊なんです」とか「それは＊＊＊＊だから苦手です」など、自分の気持ちや考えが言える。そして結果的に、そういう風にちゃんと喋れるアイドルが消えずに残っていく。

「ああ、ラジオ番組というのは、アイドルたちが一人でちゃんと喋れるように育てる側面もあるんだな」

と思いました。だから、所属事務所やレコード会社はアイドルにラジオ番組を持たせようとしていたのでしょう。

そうやって元々あまり喋れない新人アイドルのために台本を作っているうちに、トークの展開のさせ方がわかってきました。台本上で、あるいは打ち合わせで、「こういうことありますか?」と聞いてみたり、出てきた話を受けて「そっちより、こっちのエピソードの方がいいですね」とか、「そこはこういう話し方をしてみてはどう?」などとアドバイスをする。つまり番組では、アイドルが自分の頭の中を整理し、相手に伝わるように話す練習を毎週やっているのです。

それを繰り返すことで、私もまたアイドル番組に育てられたということになるんだな…と今にして思います。

アイドルにかかわらず、基本は誰でも同じだと思っています。「ちゃんと喋れるアイドルが消えずに残っていく」の一歩隣に「トークのできる芸人が消えずに残っていく」がある。だから私は、のちにまだメディアでの喋り方に慣れていない芸人さんにアドバイスするようになったのでしょう。

アイドルのクリスマス

では、アイドル番組ではどんな風にトーク台本を作っていたか? その典型的な例を書いてみましょう。人によって書き方は違うでしょうが、私はこんな風に書いていました。
設定としては、デビューしたての十七、八歳の女性アイドルAちゃんのラジオ番組。毎週三十分。その冒頭五分程度は近況トークになります。放送時期はクリスマス前としましょう。こういう特別な日は、誰でも喋りやすいのです。

Aちゃん　もうすぐクリスマスですね。
○街はイルミネーションがきれい。
（表参道とか、渋谷とか、銀座とか）
＊どこか見ました？
○子供の頃、クリスマスはとても楽しみなもの。
＊はやばやとツリーを飾ったり？
＊サンタさんにお願いをしたり？

＊チキンを食べたり…
＊もちろんケーキも…
＊テレビでは必ず『ホームアローン』をやってた。
＊子供の頃、嬉しかったクリスマスプレゼントは？
～など
○大人になってからもらったクリスマスプレゼントは？
＊プレゼントはもらうのも嬉しいけど、選ぶのも楽しい。
○毎年この季節には、サンタのトナカイのソリを追跡するサイトが人気。
（見たことありますか？）
＊あれは、「北アメリカ航空宇宙防衛司令部」という組織がやってますが、たぶんやってる大人たちも楽しんでる。

○クリスマスは、子供の時、大人になった時、それぞれで違う楽しみ方があるんですね。

～などご自由に

だいたいこんな感じでしょうか。どうってことのない進行台本です。やや昭和のアイドルっぽいのはご愛敬としてお許しください。

こういうのでいいのなら、誰だって放送作家ができそうです。

でもしかたがないのです。だって、作家はアイドルのＡちゃん本人ではない。彼女がどんな子供時代を過ごしたか知らないし、どんなクリスマスの思い出があるかも知らない。アイドルになって、いま現在、クリスマス前にどんな日々を過ごしているのかも知らない。知らないことは書けないし、嘘を書くわけにもいきません。結局、彼女が喋るためのキッカケ作りをしているだけの台本。おおまかな道筋を提案しているだけです。

台本は無視してもいい～熱のあることを話す

他の放送作家の名誉のために言っておきますが、これはかなりラフなトーク台本です。私だって、もっと詳しく、エピソードを書き込んだ台本を作ることの方が多い。とくに初対面の場合や、生放送の時、一回だけの特番の時はそうです。喋り手と作家の距離感によっても書き方は違ってきます。

この例は、レギュラー番組ですでに数ヶ月やってきて、お互いの気心がわかってきた頃。初めて、番組がクリスマス前の放送を迎える時です。

そしてトーク台本の特徴は、「場合によっては、まったく無視してもかまわない」という点。書く方も喋る方もそういう共通認識でいた方がいい。そしてそれでもなおかつ、トーク台本はあった方がいい。

たとえば、最初に書いてあるイルミネーションの項目。もし彼女が表参道の有名なイルミネーションを見に行っていて、そこでなにか出来事があったならその話をすればいい。あるいは、子供の頃のクリスマスの項目で、もし「ウチはなぜかツリーを飾らなかった」とか「お隣がツリーとイルミネーションのすごい個人宅で近所の名所。なので、それを見ていた」なんて経験があれば、その話をすればいい。他にある項目はすべて無視してもいいのです。もっとも、そんなおあつらえむきの面白エピソードなんて、普通はありませんけど。
○や＊で、いろいろなことが書かれていますが、その全部に触れる必要はない。どれか二つか三つ喋れることがあれば、他は全部無視したっていいのです。
もっというと、クリスマスとはまったく関係なく、「最近こんなことがあった」「この話をぜひしたい」などということがあれば、その話をすればいい。人は、その時誰かに聞いてもらいたいことを話すのが、一番熱が入っていいのです。

一般的にトークの進行台本というのは、なにも話すことがないケースを考えた最低限の「保険」みたいなもの。だからそこにはさまざまな、喋るための基本要素が入っています。アイドルではない普通の人も使える手法だと思います。

これは放送作家のための入門書ではありません。いま読んでいるあなたがクリスマスについてトークする場合、どういう進行メモを作るか？　という風に置き換えて読んでいただければと思います。

いえ、クリスマスに限らず、なにか他のことについても同じです。メモなんか作らず、頭の中で考えを整理する場合も同じです。

メモはいいけど、文章にしない

この台本例は、最初こそ、

「もうすぐクリスマスですね」

と喋り言葉になっていますが、そのあとは、

○街はイルミネーションがきれい。

○子供の頃、クリスマスはとても楽しみなもの。

とそっけない書き方になっています。どうしてかというと、

「街はイルミネーションがきれいですね」

「子供の頃、クリスマスはとても楽しみでした」

なんて喋り言葉で書いてしまうと、人はついそれを読んでしまうからです。同じ内容を語るにしても、人それぞれに喋り方は違うはず。

「最近、街はイルミネーションがきれいじゃないですか」

「子供の頃はね、クリスマスがすごく楽しみだったんですよ」

などと自分なりの言い方で喋ってもらうため、あえてそっけなく書いているのです。○とか＊などの記号が多く、（　）で囲んだ部分があるのも同じ理由。キチンとした文章で書いてしまうと、喋る時どうしてもそれに寄っていき、原稿を読んでいるようなトーク

になってしまう。それが人間の心理です。
聞きたいのは本人の気持ちが入ったトークであって、用意された原稿を読む朗読ではないのです。

少し話が飛躍しますが、記者会見で質問に答える政治家が、役人が書いた文章を読んで答えている時のことを思い出してみてください。いちおう「私はこう考えている」という内容を喋っているのですが、あの「心がこもっていない感じ」といったら！　あの場合は、他人が書いたものを読まされているとあえてアピールする（つまり、俺は悪くないと態度で示したい）ために、ああなっているのでしょう。

一方、用意された原稿のない内輪の会合などでは本音で喋って、うっかり誰かを傷つける失言をしてしまう。こっちの方が人間性が出るということがよくわかります。「自分の気持ちを、誤解されないように、自分の言葉で喋る」という点で、政治家はラジオ番組でのアイドルに学んだ方がいいのかもしれません。

飛躍しすぎました。番組のトークに戻ると、これは他人が書いた進行台本に限りません。自分で喋るために、自分でメモを作っておく場合も同様です。

『オードリーのオールナイトニッポン』の最初の頃、私は春日さんとも事前にトークの相談をしていました。アレコレ話をして「だいたいその方向でいきましょう」となると、春日さんは喋る内容を簡単にメモします。

それはいいのです。段取りを書いておくのは頭の整理に必要なことだし、間違いやすい固有名詞やつい忘れがちなことは、メモをして見える所に置いておいた方がいい。が、問題は書き方で、あまりちゃんと書いてしまうと、メモにある言葉を順に読んでいくトークになってしまう。

いつも、

(内容はいいんだけど、どうも生き生きしたトークにならないなあ)

と思っていた私は、ある時トークの直前に春日さんの手元にあるメモを取り上げ、捨ててみたことがあります。春日さんは慌てました。でも生放送。喋らなければなりません。春日さんはアワアワして、メモを思い出しながら、話は前後に飛びつつも、生き生きとした面白いトークになりました。目の前の若林さんも面白がっていました。

もちろんそれは、春日さんのあのキャラクターがあってのこと。ラジオの深夜放送だからできたことでもあります。そして、一回だけのことです。

自分でメモを作る場合は、あえてキチンとした文章にしないことを心掛けた方がいいでしょう。

これはなんの話なのか?～戻ってくる場所を決めておく

このトーク台本をもっとシンプルなメモにすると、こうなります。

○もうすぐクリスマス。
←
○子供の頃のクリスマスの思い出。
←
○大人になって、今のクリスマス。
←
○クリスマスは、子供と大人で違う楽しみ方がある。

自分でトークする場合のメモでも、だいたいこういう流れでいこうとわかっていればいい。この中の、どこかの項目が膨れるでしょう。子供の頃の思い出か？　あるいは大人になって最近のことか？　人によって違います。

トークというのは話しているうちに連想が膨らみ、あるいはなにかを思い出し、あらぬ方向に広がっていくことがあります。それもトークの面白さですから、あまりセーブしなくていいと思います。ただ、あれからあれへといろいろ喋っているうちに、自分でなんの話をしているのかわからなくなることが時々あります。そういう時、この項目に戻ってくればいいというポイントを決めておく。メモはそのためにあるのです。

噛んだっていい、考えながらでもいい

子供の頃のクリスマスを思い出したり、今の気持ちを考えながら喋れば、当然、「えーと、なんでしたっけ」とか「たしかあれは…、いや違った」なんて言葉も出てくるでしょう。けっして流暢な喋りにはならないかもしれません。でも、それでいいと思います。

前の項目と重なりますが、用意された原稿を読んでいると淀みのない流暢な喋りにはなるでしょう。でもそれは自然ではない。人が普通に喋る時、主語は省略するし、語順も時に変です。句読点も、どこにあるのかよくわからない場合も多い。それでも伝わるのです。

言葉を選んでいる時や、なにかを思い出している時には、間《ま》ができます。思い出しながら、あるいは探り探りだとテンポはゆっくりになり、熱が入ってくるとやや早口になった

りするのが自然です。

そりゃ噛まずに喋った方がいいのでしょうが、多少噛んだからといって、全部が台無しになるわけではありません。言葉を間違えたら、言い直せばいい。そういったことを全部含めての、トークなのですから。

「角《つの》を矯《た》めて牛を殺す」

という諺《ことわざ》があります。「矯める」とは「正しくする」ということ。つまり「牛の曲がっている角を真っ直ぐにしようとして、かえって牛を殺してしまう」という意味です。牛の角なんて曲がってるのが当たり前、しかも一頭一頭曲がり方も長さも違うでしょう。それを真っ直ぐにする意味なんかありません。

もちろんきれいに流暢に喋れるに越したことはないのですが、それは目的ではないということでしょう。

自分の話をする

これは結局のところ、自分が子供の頃の話や、いま大人になってクリスマスをどう思うかというトークになっています。自分が子供の頃はこうだった、今の自分はこう思う、こう考える、こういう光景を見た…という話。自分の話だから、言葉を選ぶのにちょっと間が空くこともあるだろう、と。
クリスマスは誰にでも訪れるもの。お正月でも、夏休みでも同様。いえ、季節に限らず、故郷、学生時代、食べ物、音楽…など、言ってみれば、誰でも喋れるテーマです。だからこそ、自分の経験や考えを語らないと、その人が喋っている意味がないのです。それは時に「こんなこと言ったら変かな?」とか「ひょっとしたら反感を買うかもしれない」とか「ちょっと恥ずかしい」という場合もあるでしょう。躊躇《ちゅうちょ》します。けれど、そうやって自分の話をするから、相手は興味を持って聞いてくれる。

誰でも言えることになっていないか?

すると、このトーク台本例の中で一ヶ所、異質な項目があることに気づくでしょう。

○毎年この季節には、サンタのトナカイのソリを追跡するサイトが人気。
（見たことありますか?）
＊あれは、「北アメリカ航空宇宙防衛司令部」という組織がやってますが、たぶんやってる大人たちも楽しんでる。

そう。ここです。急にここだけ難しい言葉が並んでいますし、これは自分の話ではなく、情報です。もしトークが長くなったら、一番最初にカットする候補でしょう。

ところが実際には、こういう情報をトークに入れたがる人が多い。パーソナリティーも私のような作家も、一般の方も。共通しているのは、たいてい男の人のようですが。たとえば「今日の天声人語に載っていたんですが……」とか「いま流行っているスイーツは……」とか。あるいは、「夏目漱石にこういう言葉があって……」とか。

時事ネタや流行の話題、情報やエピソードを引用するメリットは、一つには長々喋っているとなにかいいことを言ってるような気分がするんです。とくに、人があまり知らない話だと、ちょっと情報通のイメージも出せる。

あともう一つは、自分は紹介しただけ引用しただけだから、内容について責任がないのも、気が楽なんでしょう。

トナカイのソリの件を詳しく語ると、たぶんこうなります。

１９５５年に、アメリカのシアーズ百貨店が新聞にクリスマスの広告を載せた。そこに問い合わせ用の電話番号が印刷されていたけど、これが誤植。その間違った番号に子供が電話すると、アメリカ空軍の施設につながってしまった。

「もしもし、サンタさんですか？」

という可愛い間違い電話がいっぱいかかってきた。

以来、その施設NORAD（ノーラッド＝北アメリカ航空宇宙防衛司令部）は正式な任務として、毎年クリスマスイブになると、サンタクロースの動きを追跡。サンタのソリは今どのへんを飛んでいるかの情報を、子供たちに提供している。

…ということになるでしょうか。こんなのはちょっとWikipediaを調べれば、誰だって言えます。

誰でも言えることをわざわざトークする理由は？

一つには、このエピソードはクリスマス時期によく紹介されますが、もちろん知らない人もいる、ということ。どんな情報、時事ネタも世間には初めて知る人がいるのです。それに、可愛い話なので、アイドルの女の子が紹介するにふさわしい。

さらにもう一つ、このエピソードを紹介する台本上のポイントは、情報を紹介したあとに、

＊～たぶんやってる大人たちも楽しんでる。

と書かれているところ。これです。これはトークする人の感想です。情報、時事ネタは、紹介者の感想があってナンボ。ここに書いているものでなく、別のものでもかまいません。自分はどう思うのかという心情も加えれば、時事ネタや情報をキッカケにした自分のトー

クになります。誰でも言えることが、その人でなければ言えないことになるのです。

さらにもう一つ、もし万が一Aちゃんにクリスマスに関する思い出やエピソードがあまりなかったら、最悪「情報紹介＋感想」でなんとか尺（時間）が埋められるという、制作側の保険もあります。自分のクリスマストークが盛り上がったら、ここをバッサリ切ればいいのですから。

自分は見ているが相手は見ていない

さっきから、自分が見たもの、自分が経験したこと、自分が感じたことを話した方がいい…としつこく言っています。「自分が見たものをそのまま話す」というのは、誰にでもできる簡単なことのはず。ところがこれが、意識していないと単純なミスをおかしやすいのです。

ずっと以前、まだ伊集院光さんが新人の頃、彼が深夜放送（深夜三時からの『オールナイトニッポン2部』）でトークする内容を事前に雑談っぽく聞いてアドバイスしていたことがあります。

「今日はどんな話をするの？」

「こんなことがありましてね……」

と彼はその日の番組で喋る予定のフリートーク候補をザッと話してくれます。

とはいえ、私は彼の番組の作家ではないので、彼が事前に私に喋らなければいけない理由なんてありません。が、なんとなく毎週、そういうことになっていました。私としては、まだラジオで喋ることに慣れていない若者のトークになにかアドバイスしておきたいという思いでした。が、それは好意の押し売り。彼にすれば迷惑な話で、あとにして思えば嫌だったろうなあと思いますが。

もうずいぶん昔のことです。ほとんどのトークは忘れましたが、いくつか憶えている話もあります。

「歯が痛くて、歯医者に行ってきたんですが……」

というトークをした時です。

「その歯医者の待合室で……」

「ちょっと待って。それはキミんちの近くの歯医者？　それとも都心のクリニック？」

「近所です。で、その待合室で……」

「ちょっと待って。そこ流行ってるとこ？　待合室に他の患者はいたの？」

「いましたね。で、しばらく待たされて……」

「ちょっと待って。待合室にいる他の患者って子供？　老人？」

「子供がいて、バタバタとうるさかったんです。こっちは歯が痛いのに。で、ようやく先生に診てもらうと……」

「ちょっと待って、その先生はおじさん？　女医？」

彼は面白い話を早く進めたいのに、私は何度も彼の話の腰を折る。が、この時彼は、ハタと言葉を止めた。

「あっ……」

「どうしたの？」

「さっきから藤井さんが聞いてること、俺が先に言わなきゃいけないんですね」

今となっては、その病院が近所だったのか、待合室が混んでいたのかどうかなど、全部忘れています。ここでは例としてそう書いているだけ。実際は違うかもしれません。けれど、彼がハッとして「先に言わなきゃいけないんですね」と言った光景だけはよく憶えています。

自分の経験をトークする時、一番陥りやすい点がここなのです。自分は見ているから相手に伝わっているつもりでつい描写というか、説明をスルーしてしまうのです。が、トークを聞く相手はそれを見ていない。伝わっていないのです。といって一から十まで全部事前に説明をしろというわけではありません。それは聞いていて煩わしいし、テンポも悪くなります。

トークの展開上、先に説明をしておかないと伝わらない点は意識して描写し、他はそんなに意識せず普通に話せばいいのでしょう。


さらに当時の私がひどいのは、伊集院さんが話してくれたトーク候補がイマイチだなと感じた時は、

「うん。それもいいんだけど…、なにか他にもある？」

と聞き返しました。そして彼がすごいのは、毎週常に二、三本、フリートークの候補を用意してきていたことです。さすが、のちのラジオの帝王、トークの天才です。

とはいえ私は、事前に彼のトークを聞いて「こう直せ」などと言ったことはありません。

「面白いねえ、それ」とか「あ、それからこういうこともあるよね」などと半ば雑談。私の、アドバイスともいえない感想を、彼の本番トークに取り入れてもいいし、まったく無視してもいいと思っていました。要するに壁打ちの相手。なにしろ、私は彼の番組のスタッフではありません。ノーギャラで勝手にやっていることですから。

いつも一通り聞いたあと、「じゃ、本番頑張ってね」と、私はサッサと帰っていました。深夜三時からの生放送につきあう元気なんかありません。

そして翌週、また同じように同じ時間に会って、
「今日はどんな話をするの？」
「こんなことがありましてね……」
私自身は彼の面白いトークを聞けて楽しかったのですが、彼としては迷惑だったろうなあ。好意の押し売りほど面倒くさいものはない、と今は思います。

トークの流れ

私の好きな、トークの理想パターンとでも呼べるものがあります。急いで断っておきます。まず「トークにはいろいろな種類がある」ということ。その中で、あくまで「私が好きなパターンの一つにすぎない」ということ。

トークには「こうであらねばならない」なんてルールはありません。いえ、そもそも、たいていのものにそんなルールはないのです。ただ、どんなものでも、相手に伝わらなくては意味がない。伝わりやすい構造というものは、あるのです。

私が好きな流れは……。

【つかみ】

漫才や落語などの芸では、まず早めにひと笑いが欲しい。そうすれば喋り手は安心するし、聞いているお客さんも安心する。早々に場の空気がほぐれてくれれば、それからの展開がやりやすくなるからです。いわゆる「つかみ」。

トークにおいて、自信のないお笑い芸人は早めに笑いが欲しくて開始早々なにかダジャレを言ったりして、逆に場が白けてしまうことがあります。いや、そういうことではないのですよ。

たとえば、

「昨日、スマホに変な電話がかかってきて……」とか、

「生まれて初めて同窓会に行ってきて……」とか。

トークの導入として、聞いている方が「え?」とか「そうなの?」と思ってくれれば、それが「つかみ」になります。トークの内容と関係ないギャグとかボケとかダジャレとかは、むしろ逆効果。

いわゆる「あるある」でもいい。

「郵便受けに『水漏れのマグネット広告』が入ってくるじゃないですか……」とか、

「お店で、店員に声かけられるのって苦手でしてね……」とか。

こういうのも、これからするトークの導入として、早めに共通の世界を作れます。

逆に、たんたんと日常の話から入って、聞いてる方が「この人、いったいなんの話をしようとしてるんだろう？」と不思議に思う入り方でもいい。その不思議感が、結果的に「つかみ」の役割を果たします。

トークの場合、ことさらの「つかみ」はあってもいいし、なくてもいいと思っています。スムーズなアプローチになれば、なんでもいいのです。

【できれば日常ネタで】

どこか珍しい場所に行ってそこでアクシデントがあった…なんていうトークは、たいてい面白い。だから、それでもいいのです。けれど、

「ハワイに行く飛行機の中で……」

なんて言われても、普通の人の日常とかけ離れています。それより、

「会社に行く通勤電車の中で……」

の方が、ぐっと親近感が増します。

非日常的な大きな出来事ではなく、日常のなにげないところから話が始まる方がいいなあ、と思っています。そう、歯医者さんに行ったというのは、まさにそうです。他に、い

つも行ってるお蕎麦屋さんが臨時休業で…とか、通販で買った電気製品が、届いてみたら予想以上に大きくて…とか。とりたてて大きな出来事ではないのに、なぜか話としては面白い。出来事ではなく、心の動きが面白いというパターンです。

【理想は、巻き込まれ型】

映画やドラマでは「巻き込まれ型」というストーリーがあります。主人公が、たまたま犯罪の現場を見てしまったことから犯罪組織に狙われる…とか、お客で行ったのに勘違いされてステージに上げられる…とか。

トークの理想は、そういう「巻き込まれ型」ではないかなと思っています。すすんで珍しい場所に行ったり、変な人に会ったりしてもいいのですが、自らそうやっていると、ちょっとわざとらしくもある。

そうではなく、自分では「私はごく普通の人間で、いつもおとなしく生活しようとしてる」…のだけれど、なぜか「友人や周囲に巻き込まれて、めんどくさい状況になってしまう」…というのが理想。もっとも、トークとしては理想ですが、現実であまりそうなりたくはないのですけど。

【手を引っぱられて森の中を歩く】

「それで、それで？　どうなるの？」

トークを聞きながらそう思う展開がいい。話の行き着く先がわからない方が楽しいじゃないですか。

聞いてる側としては、たとえば、トークしてる人に手をとられて知らない森の中をあちこち案内されている感覚。

「ほら、ここにでっかい木があるでしょ？」

「ホントだ、でっかい！」

「…でもって、こっちには小川が流れてる」

「へえ、こんな所に」

「…それから、この繁みの向こうには……」

とあちこち引き回され、「どこに向かっているのかわからないけど、次々と珍しいし、楽しい」と思う。

「森」なんてたとえを出したから、なんだか童話的になってしまいました。そう、あなたが子供で、親に楽しい絵本を読んでもらっているような感覚でしょうか。

【臨場感】

トークする方としては、聞いている人に一緒にその場にいるように感じてもらう必要があります。臨場感です。

そこはどんな場所なのか——狭いのか広いのか？　明るいのか暗いのか？　そこから見える景色は？

その人はどんな人なのか——男なのか女なのか？　若いのか年配なのか？　どんな服装なのか？

その時あなたはどう感じたのか——不安だったのか？　恥ずかしかったのか？　ウキウキしてたのか？

…そういったことを言葉でちゃんと伝えたい。

【そして夢からさめたように】

トークが終わると、ふっと解放され、話の世界から現実に戻ってくる感覚があるといい。まさに、読んでもらっていた絵本の、最後のページをパタンと閉じて、「はい、おしまい」

という感じ。

だから私は、トークのオチはあってもいいけど、別になくてもいいんじゃないかと思っているのです。

第3章

「つまらない」にはワケがある

「盗む」のは難しい

なにかの芸やスポーツ、文章でも、上手な人からテクニックを「盗む」のが上達の近道だといいます。ところが、この「盗む」というのが難しい。自分にある程度の経験と知識がないと、上手な人のなにがどううまいのか、すごいのか、そのどこを真似ればいいのかがわからないのです。

わかったところで、簡単に真似ることなんかできません。それはそうでしょう。うまい人は長年かけてそこまで達したのです。一朝一夕《いっせき》に真似できるはずがありません。トークも、その一つでしょう。

ところが人は逆に、下手な相手に対しては、「そこが駄目」「そういうところがよくない」と、わりと簡単にアラ探しができます。もちろん的外れな指摘や、たんなる嫉妬の場合もあります。が、表面的な欠点なら意外にわかりやすい。

ＳＮＳのコメント欄に山のようにあるアラ探しというか、揚げ足取りというか、お為ごかしの悪口というか…そういったものを見ればわかります。それがどんな些細なことでも、他人の欠点を指摘すると、その指摘ポイントだけでなく全人格的に自分の方が優位に立っているような錯覚の快感がある。きっと脳内でドーパミンだかエンドルフィンだか、なにかそういったものが分泌されるのでしょう。

だったらトークの場合、下手な人の駄目なところを自分はやらないように気をつければいい。上手な人からいいところを見つけて盗むより、こっちの方が簡単そうです。いわゆる反面教師。人のふり見て我がふり直せ。

あなたもきっとこれまでに、「あの人のトーク、つまらないなあ」と思ったことが何度かあるでしょう。それはなにが、どうつまらなかったのか？　思い出しながら、少し意地悪くアラ探しをしてみましょう。

反面教師①　話が長い

「下手の横好き」という諺は有名ですが、「下手の長談義」という諺もあります。多くの方が、長くてつまらない挨拶やスピーチやトークにうんざりした経験がある、ということでしょう。

スピーチでもトークでも、あまり長いものは敬遠される。それはわかります。では、トークの場合、どのくらいの時間だといいのか？

目の前の人に向かって話すトークと、見えない相手に向かって話すラジオやテレビでのトークでは時間の感覚が違います。トーク上手が多いラジオのパーソナリティーでいえば、面白いトークは七分程度が一つの単位になる、と私は思っています。

「七分？　ラジオの芸人さんはもっと長くトークしているよ」

とおっしゃる方もいるでしょう。そう、深夜ラジオのパーソナリティーには、平気で三十分くらいトークする人もいます。しかしよく聞いてみると、ずっと同じ調子で長時間喋っているわけではないのです。

私が新人の頃、『ビートたけしのオールナイトニッポン』（ニッポン放送）が始まりました。トークの面白さで伝説となっている番組です。実はこの番組のディレクターが、前述の伊藤蘭さんの番組のディレクターと同じ人でした。私は蘭さんの番組収録で、彼とは毎週会っていています。いつもたけしさんのトークがいかに面白いかを力説され、以来私は毎週聞くようになりました。

たしかに、飽きさせない面白いトークが延々三十分くらいは続きます。私は、深夜にリアルタイムで聞くのではなく、当時はカセットテープに録音したものを昼間に聞いていました。爆笑しながらも、その分やや冷静に聞くことができます。ある時感じたのは、トークに聞き入って笑っていても、一瞬ふっと息をつくタイミングがあるということ。

これは自分の体感です。話の内容が一段落したところ、あるいは一気に喋ったたけしさんとそれを受けた放送作家の高田文夫さんが、笑い疲れて「はあ〜、間抜けな話だ」などといったん呼吸を整えるところ。聞いている私も、そこで「ふ〜」と少し息をつきます。時計を確認すると、だいたいそのポイントが七分前後なのです。

そこでトークが終わる場合もあります。が、長い話の場合は、一息ついたあと、すぐにまたテンション高く続いていきます。あるいは一回CMを挟んでから、続きのトークにいく場合もあります。こういう経験を何度かしました。

気がついたのは、トークをしている喋り手はもちろん疲れますが、実は聞いている方も疲れるということ。笑いには限りません。どんな面白いトークでも、聞き手は長時間聞いていられない。途中で少しブレイクが欲しくなる。人間の生理的にそれが七分前後なんだろうと実感しました。

トークに限らず、エンターテインメントはみんなそうです。たとえば映画で、スリリングなシーンをえんえんたたみかけていたら、最初はいいけれど、観客の感覚はしだいにマヒしてきます。そこでいったん終わったと思わせて安心させ、すぐまたスリリングなシーンを始めれば、リフレッシュした観客はまた楽しめる…という経験は誰にでもあるのではないでしょうか。

人間の集中力の持続時間には限度がある。でも一回ブレイクを挟めば、また集中力が回復して続きを聞いてくれる。たとえば【七分↓ブレイク↓七分】だと、約十五分のトークも可能です。それを二段重ねにすれば、三十分になります。長いトークが上手なプロは、時々ブレイクを挟みながら、聞き手の集中力が切れない七分を積み重ねているのではないでしょうか?

そういえば、勉強法の本には「人の集中力は十五分サイクル」と載っていました。あれもやはり【七分↓ブレイク↓七分】ということなのでしょう。

のちに私もオールナイトニッポンの作家を担当します。番組にはQシート（79ページ図1）と呼ばれる設計図のようなものがあります。それにはCMをどこで何本入れるかということが書かれています。

当時、一時間に六本のCMがありました。単純に割り算して、CMとCMの間は各十分。CM一本が二分ありましたから、各ゾーンは八分。それぞれを《フリートーク》《コーナー①》《コーナー②》《クッション+M（曲）》…などと構成していきます。もちろん各ゾーンは均等ではありませんが、CMや曲があることで、トークは聞き手の集中力が持つ時間内に収まっているのです。

一人で七分のトークを持たせるのは相当な手練《てだ》れ。プロでも五分いければたいしたものでしょう。以前私が企画した『フリートーカー・ジャック!』は五分のトークを基準にしていました。
芸人さんでそれです。私たち普通の人間だとせいぜい三分くらいでしょう。

反面教師② 話があちこちに飛ぶ

話があちこちに飛ぶので、聞き終わってみると「結局なんの話だったのか?」と思うケースもあります。「最初の方に言っていた話題が、終わりの方では全然違う話題になっていた」ということも。

トークに自信を持っている人に多いようです。言葉はスラスラと出てくるので、話しているうちに興《きょう》が乗って、いろいろ思い出して寄り道や脱線が多くなってしまう。それもトークの面白さだからいいのですが、話し終わってみると、結局なんのトークだったかわからないわけです。聞いている方だけでなく、実は喋っている当人が「こんな話をするつもりだったかな?」と感じている可能性だってあります。

第2章で書いた「これはなんの話なのか?」「この話のどこを面白がってもらうのか?」という点を、自分で把握していないからでしょう。寄り道、脱線はいいのです。そこから話の本線に戻るルートを忘れてしまわないようにしたい。

○○のオールナイトニッポン

月　日(　)25:00〜27:00 O.A.

1時　【オープニング】 M　／ メール呼び込み 前クレジット（別紙）	2時 M　／
CM①	CM⑦
【フリートーク】 Ⓙジングル	M　／ Ⓙジングル
CM②	CM⑧
【コーナー①】 M　／	Ⓙジングル
CM③	CM⑨
【コーナー②】 Ⓙジングル	M　／ Ⓙジングル
CM④	CM⑩
	【クッション】
CM⑤	CM⑪
【クッション】 M　／ Ⓙジングル	【エンディング】 ■　後クレジット BGCI〜 3時
CM⑥	CM⑫

[**図1**]『オールナイトニッポン』で使用されていたQシート。時代によってCMの本数、長さは多少異なります。CMを2本続ける場合もあります（各ゾーンは均等ではありません）。

反面教師③　一方的に喋る

逆に、内容は理路整然としていて、なんの話だかハッキリわかるのですが、聞いててつまらないトークもあります。

なぜでしょう？　もう一度、ラジオでのトークの話をします。

ラジオのパーソナリティーのトークにはコンビの相方がいたり、相槌役のアシスタントがいる場合があります。深夜放送だと放送作家が声を出して笑ったりもします。聞いているリスナーのリアクションはわからないので、彼らの反応を目安に、見えない相手を想像しながら喋っているのです。

一人でトークしている場合でも、一緒にブースに入っている放送作家が無言でうなずいていることがあります。ガラス窓の向こうにいるディレクターなどのスタッフの反応を見ながら喋っている場合もあります。

ラジオなのにトークが一方通行にならないのは、聞いている人が「ふんふん、それで？」とか「わかる、わかる」「え！　ホントに？」などの反応をする隙間があるから。それを織り込みながら喋っているのです。

実際に誰かの前で喋る時はその反応がリアルでわかるので、もちろんたしかめながらトークできます。

聞いている人がわかりにくそうな表情をしているなと感じたら、同じ箇所をもう一度繰り返したり、少し説明を足してから先に進む。ちょっと退屈してそうだなと感じたら、丁寧な説明をはしょる。時々、「そうでしょ？」などと投げかけてみてもいい。相手の返事はなくたっていいのです。そこに少し余白ができますから。

そういう隙間というか余白を意識せず、ただただ自分が言いたい内容を一方的に喋ると、聞いている方はついていけなくなるのです。

皮肉なことに、喋りに自信がある人の方が聞き手を置き去りにしてしまう危険性がある。その自信の元は、言葉が淀みなくどんどん出てくるという点であったりします。喋り手は「感心して聞いてくれている」と思うけれど、実は言葉が途切れないから相手は切り上げるキッカケがないだけだったりするのですが。

以上の文章をもう一度、伝えたい内容を余白なしで詰め込んだ形で再現してみると、次のようになります。

ラジオなのにトークが一方通行にならないのは、聞いている人が、ふんふん、それで？とか、わかる、わかる、え！　ホントに？　などの反応をする隙間があるから。それを織り込みながら喋っているのです。実際に誰かの前で喋る時はその反応がリアルでわかるので、もちろんたしかめながらトークできます。聞いている人がわかりにくそうな表情だなと感じたら、同じ箇所をもう一度繰り返したり、少し説明を足してから先に進む。ちょっと退屈してそうだなと感じたら、丁寧な説明をはしょるのもいいでしょう。時々、そうでしょ？　などと投げかけてみてもいい。相手の返事はなくたっていいのです。そこに少し余白ができますから。ところが、そういう隙間というか余白を意識せず、用意してきた内容を一方的に喋ると、聞いている方はついていけなくなるのです。皮肉なことに、喋りが上手な人ほど聞き手を置き去りにしてしまう危険性がある。その自信の元は、言葉が淀みなくどんどん出てくるという点であったりします。喋り手は「感心して聞いてくれている」と思うけれど、実は言葉が途切れないから相手は切り上げるキッカケがないだけだったりするのですが。

どうでしょうか？　とても読む気になりません。こういうトークになってしまうと、聞く気にならないわけです。

トークというものは、一人で喋っているけど、実はそれだけで成立するものではなく、聞いている人の反応とセットになってできあがるのかもしれません。

反面教師④　ギャグやダジャレを連発する

目の前の人に笑ってもらいたくて、ギャグやジョークを言う。それはアリです。緊張した場をほぐしたい気持ちとして当然だし、その効果もあります。しかしだからといって、ずっとそれを連発されても…というトークをする人がいます。

第1章でも少し触れた、平場が苦手な芸人さんにそういうケースが多い。最初こそ笑いが起こるけど、連発するとだんだん白けてくる。それを挽回しようと焦ってさらにギャグを放り込み、ますますドツボにはまってしまう。一般に、テレビではトークにもらえる時間は数十秒、長くてもせいぜい一分。ラジオだと三分程度は喋らせてもらえます。短い尺だとギャグやジョークで乗り切れても、少し長くなるともう駄目なのです。

以前、お笑い芸人パンサーの向井慧《さとし》さんと番組でお話をした時、

「最初にラジオをやった時に、自分でボケっぽいことを言うんですけど、まったく手ごたえがなかった」

と言っていました。ボケ、つまりなにか面白いギャグとかヘンなことです。

「でも『僕はこう思ったんですよ』と熱量を持って喋っているほうが笑ってもらえたりする」

と（『向井と裏方』河出書房新社）。

さすが、のちに多くのラジオ番組を抱え、「ラジオフェアリー」を自称する方。トークの本質をとらえています。

プロの芸人さんでそうなのです。仲間内で「俺は話が面白い」と自信を持っている人がこういうギャグ沢山、ダジャレ沢山のトークをやると、だいたい悲惨な目にあいます。

ギャグやダジャレはあくまでスパイス。メインの食材を引き立てる役目です。唐辛子を入れすぎてただ辛いだけのなにかを食べても、あんまりおいしいとは思えません。

反面教師⑤　難しい言葉や専門用語を多用する

ギャグやダジャレを言うのは聞き手との距離を縮めたいという気持ちの現れですから、動機はいいことでしょう。その反対に、「この人は聞き手に距離を置いてほしいのだろうか?」と思うのが、難しい言葉や専門用語を多用する人です。

専門用語の場合は、仲間内では普通に喋る言葉だから誰にでも通じると思っているんだろうな、とは思います。が、難しい漢語やあまりなじみのないカタカナ言葉を使いたがる人は「なんでだろうな?」と思います。

「一衣帯水《いちいたいすい》の関係で」とか「不撓不屈《ふとうふくつ》で」とか。

横綱昇進の伝達式でしょうか?

「サステナビリティの世の中ですから」とか「エコーチェンバーじゃないか」とか。

ＩＴベンチャー企業のＣＥＯでしょうか？

自分を偉く、大きく見せたいのだろうとは思いますが、たいていの場合「自分を偉く、大きく見せたいと思っている人」と見られるだけです。

もっとも、わざと、

「朝三暮四ですね」

などという言葉を使って笑いをとり、うまく場をほぐすという方法もあります。コツは、高校の教科書に載っているちょっと難しそうな言葉を使うこと。意味はわからなくてもかまいません。聞いたことあるなぁという言葉ならいいのです。

反面教師⑥　小声でボソボソ喋る

普通の人はアナウンサーみたいに明瞭には喋れません。だから上手でなくてもいいのですが、それにしても聞き取りにくく、ボソボソと喋る人がいます。

その場合、問題が二つあります。一つは、聞き取れなければ面白いも面白くないもないということ。どんなにいい内容でも、聞こえなければ無意味。人の喋りは、聞き手がボリュームのスイッチを操作して音量を上げることができません。そこは喋り手の方でなんとかしてもらわないと。

もう一つは、ボソボソ喋っていると「この人は、自分の話を聞いてもらいたい気持ちがあるのか?」と思われてしまう。おそらくこっちの方が大きな問題です。別に聞いてくれなくてもいいという人のトークを、いったい誰が聞くでしょうか。

とはいえ実は、喋り上手の中には、あえてそういうテクニックを使う人もいます。ベテランの落語家の中に時々います。わざと最初は小さめな声でブツブツと喋り始め、お客さんが「なに言ってるんだろう?」と思い、自ら話の世界に入ってくるよう引き込む演出手法です。人間国宝だった五代目柳家小さんなどは、そのうまさで有名でした。

TBSの安住《あずみ》紳一郎アナウンサーはトークがうまい方ですが、彼も最初は訥々《とつとつ》とテンポ悪く話し始めることがあります。おそらく、意識してのことでしょう(私は面識がなく、聞いているだけなので、推測ですが)。

いずれにせよ、これはかなりの上級者だから使える手法。しかも「あなたは面白い話を喋る側、私たちはそれを聞きたい側」という構図が、事前にできあがっている場合のみです。

私たち普通の人間の場合は、やはり聞き取りやすさを意識して喋った方がいいと思います。小声でボソボソも聞き取りにくいし、早口でまくし立てられても聞き取りにくい。繰り返しますが、弁舌爽やかである必要はありません。「喋り方が上手」と「喋りが面白い」は別のこと。

＊

ここまで、喋り方についてアラ探しをしてみました。わざわざ探さなくても見えやすい部分なので、誰しも思いあたる人がいたことでしょう。

次は内容について。

反面教師⑦　ニュースや新聞で見たことを喋る

もちろんトークの導入として、ニュースや新聞で見た出来事から入るのはかまいません。「最近あった事件や事故」「暑い・寒いといった気候や、季節の食べ物が豊作だ・不作だなどの話」「話題になっている芸能ニュース」「スポーツでのビッグニュース」「いま流行していること」…など。それは喋り手と聞き手に共通している話題だから、いいのです。いきなり「最近の天然ゴム市況の乱高下」などとまったく知らないことから始まるより、一緒に話題に入っていきやすい（もちろん、もしゴム業界の方と話すのなら、それもアリですが）。

しかしトークへの導入ではなく、その話題の紹介に終わってしまうケースがあります。それに対して語る感想とか意見は、たしかにちゃんとしていて納得がいくこともあるのですが、ふと思うと、みんなどこかでコメンテーターが言っていたり、新聞に解説されていることだったりします。

最近のネットニュースでよく見る、テレビ・ラジオ番組の書き起こし記事に似ています。【＊＊＊という番組で、先日の日本代表戦の大勝利について、△△が「あの試合のポイントは、最初のファールにあった」と指摘。それに対して、○○が「さすがプロでなければ気づかない点ですね」と元日本代表の鋭い視点を誉めた】などというあれです。番組を見ている・聞いている人なら誰でも書ける、いわゆる「コタツ記事」。最近はさすがにそれではなにもしていないと気がひけるのか、記事の最後に、【これについてSNS上では「プロは我々素人には思いつかないレベルで試合を見てるんだな」「△△さん、日本代表に復帰してほしい」と盛り上がった】などの文章を加えたりしています。が、これにしたって、コタツの上にコタツを重ねたようなもの。書き手の考えはどこにもありません。

もちろん書き起こし記事は、そもそも書き手の考えなんか必要とされていないのでしょう。いかに効率よくPVを稼ぐかが主眼なので、それでいい。早晩、生成AIに置き換えることができそうです。

勘違いしてほしくないのですが、これは、

「すでにどこかのメディアで誰かが言っている意見を借用するな」

と言っているわけではありません。人間の考えることなんてそう大きな違いはありません。たまたま似たような意見になることはあるでしょう。

それよりも気になるのは、

「すでにどこかのメディアで言われている意見はお墨付きなので、自分の考えを言わずにすむ」

という心理はないか、というところです。巷間《こうかん》よく言われていることと違っていても、私はこう思う、こう感じる…というトークをした方がいいと思うのです。そこにあなたの意見や感想、考えがないのなら、わざわざあなたが喋らなくてもいいことになりませんか?

いいえ、世間と同じ意見でもいいのですが、たとえば、それを受けてあなたが「たしかにあのファールは問題だったなあ」と思い（前述の、例としてあげた日本代表戦のコタツ記事です）、翌日実際に友人と再現してやってみた…のだとしたら、それはあなた独自の話です。再現してみたら筋を違えてしまったでも、意外に問題なさそうに思えたでも、お互い熱くなってケンカになったでも…展開はなんだってかまいません。というか、そもそも友人に連絡してわざわざやってみるという時点で面白いし、また友人がちゃんと協力してくれることも面白い。

ニュースや新聞で見たことはあくまで導入。そこからどう考え、なにを思い出し、あるいはなにをしたのかということが、あなたのトークです。

反面教師⑧　友達や家族の話をする

「私の友達に変わった趣味の人がいて……」

「ウチのお母さんがそそっかしくて、こないだこんなことがあって」

など。ユニークな言動の友達や家族のエピソードを話す人がいます。わざわざ話すのですから、もちろんエピソードそのものはたいてい面白い。話したくなる気持ちもわかります。

けれどたいていの場合、聞いている人はその友達やお母さんを見たことがありません。どんなルックスで、どんな喋り方をして、どんなキャラクターなのかも、知りません。よく知らない人の話をえんえんされても…と思うことがあります。

もちろんトークをする側もそのへんのことはわかっているので、どんな人なのかの描写を丁寧にします。けれど、友達との関係性、お母さんとのふだんのやりとりがベースにあってこその面白さだったりするので、いま一つうまく伝わらないことがあります。

これも、さっきの反面教師⑦のケースに似ています。友人やお母さんのエピソード紹介が主眼ではなく、その人とあなたが直接からんでの話になっていれば、聞き手はあなたの視点でその状況を面白がることができますから。

＊

以上は、自分のトークなのにその人らしさが出ていないというアラ探しをしました。もっと自分が出てくる話をした方がいい、ということです。

では、自分の話を喋っているのにあまりいい効果をあげていないトークとは、どういうものか？

反面教師⑨　自慢話をする

自慢話が嫌がられるということは誰でも知っています。

「私はこんなにモテる（モテた）」

「仕事でこんなに評価された」

「昔はちょいとヤラかしたもんよ」

…などというトークは、聞いてて面白いわけではありません。喋っている本人は気持ちいいのでしょうが、聞いている方は「はいはい、そうですか」という感じ。

それよりも、

「モテたくてカッコつけたら大恥をかいた」

「仕事で大迷惑をかけたことがある」

「学生時代はお金がなくてさ、こんなことまでしてた」

……などの失恋話、失敗談、貧乏話の方が聞く気になります。


そう考えると、いわゆる「ガクチカ話」というのも妙なものだなと思います。就活生が面接の時に聞かれる「学生時代に力を入れたことは?」という質問のこと。これに対する回答トークの基本は「私は学生時代○○について、こんなに情熱を持って取り組み、こんなに力を入れ、こんなに頑張った」になります。アピールをしなさいということは、要するに自慢話をしなさい、です。

なんとなく、学生時代に書いた「読書感想文」に似ています。あれは、本当に自分の感想を書くものではない——ということを私たちは学習します。感想文を読む教師側・学校側が「こういう感想を持ってもらいたい」と思っているだろう暗黙の正解に向かって、文章を書くわけです。

「ガクチカ」も同様です。面接官が聞きたいであろう暗黙の正解をさぐりながらトークをする。だって採用されたいのですから、当然です。そんなものを問うて、いったいなんの役に立つのでしょうか？

この本の「はじめに」で触れた就活生君も、そりゃ悩むだろうなと思います。あれは、他に聞くことを思いつかないからとりあえず聞いているだけではないか？

もっとも、失恋話も、失敗談も、貧乏話も、自虐話も…実は大きくくくれば自慢話です。「私はこんな逆境の中を潜り抜けてきて、今は人前で話せるほどの心理的な余裕ができた、という自慢」をしているわけですから。

でも私は、それでいいのだと思います。人は誰だって自分の中にマイナス、ネガティブ、コンプレックス…といった要素を持っています。ある程度の時間をかけてそれを消化し、失敗談や、自虐トーク、情けない話、恥ずかしい話…として人に話せるようになったということ。同じようにマイナス、ネガティブ、コンプレックスを抱えた人は、聞いていて気が楽になるかもしれません。

本当に辛い話、悲しい話、まだ癒えていないエピソードなどは人前で話す気にはならないし、そもそも話さなくてもいいのです。

反面教師⑩　昔話をする

「昔はこんなにワルかった」

なんてワル自慢をする年輩の人がいます。たぶん職場の若手になめられないように盛っているのだろう、とみんな思っていますが。だって、本当にワルだったかどうか確かめようがありませんし。

最近では、

「昭和の時代はコンプラなんてないから、やることなすこと無茶だった」

みたいな話をする人も現れました。いや、それはコンプライアンスという言葉こそ知らなかったけど、昭和は法令無視の無法時代じゃない。これまた当時を知らない若手に圧をかけようと、盛っているわけです。「昭和の時代」は「バブル時代」に置き換わることもあります。

なにが言いたいかというと、その人にとって大きな出来事である昔話は話したくなるということ。その気持ちはわかります。が、昔話は自慢要素が強くなるし、聞いている方にとって、知らない時代は共感しづらいのです。

私が経験的に感じているのは、トークでは「昔の大ネタより最近の小ネタ」。十年前にインフルエンザで40度の熱が出て大変だったという話より、一週間前に38度の熱で大変だった話の方がいい。喋り手と聞き手は、十年前という時代を普通は共有できないけど、一週間前なら共有し、共感しやすいのです。

反面教師⑪「笑った話がある」で始める

これはわりと若い女性に多いようです。

バラエティ番組で女性タレントが、

「私、この前、大笑いした出来事があるんですけど……」

などという言葉から話し始めると、横にいるお笑い芸人が、

「自分でハードルを上げるな！」

とツッコんだりするので、「ああ、そうか」と気づいた方も多いでしょう。

私はこれから笑える話をする――と自分でわかっている点はいいのです。「これはなんの話なのか？」「この話のどこを面白がってもらうのか？」という点を、ちゃんと自覚しているわけですから。素直だから、ついそれを口に出してしまう。

すると、聞いている方は「このトークは最後に笑う場面がきて、それがオチだな」と知っているわけです。そこへ肝心の笑える場面がきても、笑いの量は少ないに決まっています。いわゆるネタバレ。意外性がありません。そりゃ、笑いに貪欲な芸人たちがダメ出し

をするわけです。

この失敗は、笑いに限りません。

「この前、恥ずかしかったことがあるんですけど……」

「すごくビックリした経験がありまして……」

というのも同じ。トークの最後がどうなるかを聞き手が知っていれば、その予想を上回るものがないと、相手は満足しません。自らハードルを上げる行為はやめた方がいいでしょう。

反面教師⑫　要約を先に言う

先の項目は、言われればすぐわかるので、トーク初心者でもすぐに修正ができます。ところがある程度うまくなった人が、自分では気づかずに同じミスを犯してしまうことがあります。

トーク上級者は当然のごとく「これはなんの話なのか?」「この話のどこを面白がってもらうのか?」という点がわかっています。それはいいこと。話そうとする内容を事前に俯瞰《ふかん》し、「これは、私が情けない思いをした話だな」とか「人は年を重ねても変わらない、という話になるだろう」とか、あるいは「やめときゃよかった、と思ってもらう話だ」などとわかっている。

するとうっかり、

「人って年を重ねても変わらないなあと思ったんだけど……」

というような言葉でトークを始めてしまうことがあるのです。「笑った」「ビックリした」などの感情ではないので気づきにくいのですが、ネタバレであることは同じです。話はそこに向かって進んでいくわけですから。

論文や報告書を書く時は「結論は最初に要約して書け」と指導されます。しかし、トークは論文や報告書ではありません。聞き手は手っ取り早く要約を知りたいわけではないのです。


最近は、コスパ＝コストパフォーマンス（費用対効果）から派生して、タイパ＝タイムパフォーマンス（時間対効果）という言葉ができ、それが重要とされます。動画コンテンツを倍速で見て、時間を有効活用したと満足している若者は多い。いろいろなものを「タイパがいい」「タイパが悪い」で判断します。

私だって、仕事上急いで見なければいけないものはそうすることがあります。が、あんまり「有効活用した」と思ったことはありません。むしろ、普通の速度で見ていたら感じとれたであろう情感とか驚きとか感動とかをスルーしてしまったことで、「損をした」と思ってしまいます。

目の前でされるトークは倍速にできるわけもなく、喋り手が言葉を探したり言い淀んだりの間《ま》があったり、途中でなにかを思い出して寄り道したり、興に乗ると早口になったり…をひっくるめて聞く。その全体で、内容はもちろん、そこに付随する情感とか驚きとか笑いとか、うっかり感動とかも受け取ります。

だいいち、トークを要約してみたところで「映画館で隣の人のポップコーンを食べてしまった」とか「トイレが詰まって大変だった」といったものになるだけですから。

ひょっとしたらこの時代、トークはタイパに一番遠いもの、なのかもしれません。

アラは探してみたけれど

こうやってアラ探しをしてみると、たしかに、どんどん出てきます。書いている私の脳内には、ドーパミンだかエンドルフィンだかが分泌されているのでしょう。

これを他山の石として自分のトークを磨いていけばいい…のでしょうが、わかったからといってすぐにできるとは限りません。

ですが、なにもアドバイスせずに、ただ「盗め」と言うよりはいいと思っています。この章の冒頭にも書きましたが、日本の伝統芸能や職人の世界ではよくこの「盗め」が使われます。体育会系の色が濃い組織でもそうです。

この言葉は、なんとなく以心伝心でものごとの真髄を伝えているようで恰好いい。けれど私は、それは「アドバイスする言葉を持っていないことの言い訳」ではないか、と意地悪く思っています。後輩になにかを教えるには、自分がこれまでにやってきたことを分析し、整理し、多少は理論づけし、それを相手に伝わるような言葉に変換しなければなりません。それがうまくできないから「盗め」なのではないか？

かつて落語家の立川談志さんも似たようなことを言っているのを発見して、以前から密かにそう思っていた私は勇気づけられたものです。

スポーツの世界では「名選手必ずしも名監督ならず」という言葉があります（もちろん例外もありますが）。つまり天才プレーヤーは自分ができてしまうので、それを分析、整理、理論づけする必要がない。言語化も必要ない。だから、往々にしてできない人に言葉で伝えるやり方が不得意であるということ。

逆に現役時代そこそこの成績だった選手は、自分がうまくなろうと苦労して分析、整理、理論づけ、言語化してきたので、指導者になった時は言葉にして伝えることができる（当然、これも例外はありますが）。

この言葉は、スポーツ以外でもよく使われます。とくにビジネスの世界では、管理職教育やマネジメント論として好まれるようです。

「わかる」と「できる」は別のもの。トークに限らず、世の中そんなものです。そうではあるけれど、闇雲に「盗む」から始めるよりは、反面教師のアラ探しをして「わかる」から始めて、「できる」を目指した方がいいのではないか?……と芸人でもタレントでもないし、名選手でもなく、そこそこの一作家である私は思っています。

第4章

トークの「切り口」

この街にはなにもないですよ

観光地として有名なわけでもない、なんの変哲もないどこかの地方都市。そう言ってしまうと住んでいる方に失礼ですが、しかし全国の街のほとんどがそうなのです。京都とか札幌、鎌倉、長崎…などというのは特別な観光都市です。

そうではないごく普通の地方都市に行って、あなたが地元の人と話をした時、彼らはたいていこう言います。

「この街にはなにもないですよ」

もちろん謙遜してそう言っているのはわかります。けれど、どの街だってなにもないわけはない。全国的知名度はなくても、おいしい食材や名物料理はあるし、美しい場所や、歴史的な場所もあります。いえ、そういうものではなく、たとえば今は元気がなく寂れたシャッター通り商店街だって、

「かつてはずいぶん栄えたんだろうな」

と、おそらくは昭和時代の繁栄に思いを馳せることはできます。そんな中でひっそりと営業をしているお店に入ってみると、「そうなんです。爺さんの代はずいぶん栄えたと聞いてるんですけど」という話があるかもしれないし、意外に「実は東京から移り住んでまだ三年目でして」という話かもしれない。どっちにしたってなにか話が聞ける――これは

もちろん期待を込めて書いてるわけで、そんなドラマや漫画みたいな出会いは、そうはありません。でもその場合でも、期待したけど空振りだった、という経験はできます。あきらかに繁昌《はんじょう》していない様子の小売店でデッドストックのお宝に出会えば、当然お土産に買って帰ります。

歩いているうちに道に迷って、住宅地の間で「なんでここに階段があるんだろう？」とか「この妙な看板はなんだろう？」という発見もあるかもしれません。人の営みが街に残したバグのようなものを面白がる、路上観察学という楽しみ方。純粋階段とか、植物ワイパーとか、貼り紙の妙な文章とか、道路に落ちている軍手片方とか…最近は写真に撮ってSNSに上げる人も多い。

テレビ番組『ブラタモリ』の影響で、坂道や段差や、かつての川の痕跡を見つけて面白がるという人もいるかもしれません。

そこに住んでいる人にとっては毎日目にしている光景だし、十年一日《いちじつ》変わりばえのしない街並み。ですから「なにもない」と思う気持ちはわかります。けれど、外から行った人間が、外からの視点で見れば「なにかはある」のです。

見ているのに見えていない

典型的なのが、東京・渋谷ハチ公前のスクランブル交差点。東京はどこも人が多いのですが、あそこはとくに、圧倒的な人の群れを感じる交差点です。

渋谷は、私の学生時代から人気のある街で、よく行きました。渋谷にはＮＨＫがあります。放送作家としても、よく行く街になりました。私は何十回、何百回もそこを通るたびにいつも、

「人が多い交差点だなあ」

と思っていました。おそらく東京に住んでいる人はみんなそうだろうし、テレビでもよく中継されるので、全国の方々もそういう感想でしょう。

ところがインターネットの時代になり、ＳＮＳが人気になると、外国人観光客によって、そこが東京の観光名所として一躍有名になったのはご存じの通り。

「信号が変わると、四方から大量の人々がどっと押し寄せ、それぞれがぶつかりもせずに交差点を渡りきる。それを二分ごとに一日中、秩序立てて繰り返している。この光景は実に日本人らしい」

言われてみれば、日本人らしいのかもしれません。

あそこは昔からハチ公像が有名でした。交差点はその前にある道路。言ってみれば、人

が多いだけのただの交差点です。「ただの交差点」が世界的な観光名所になるなんて、いったい誰が想像したでしょう？

「とくに雨の日は、上から見ると色とりどりの傘が交錯し、動くモザイク画を見ているようで美しい」

たしかに美しい。映画『シェルブールの雨傘』のオープニングと同じ光景が目の前にあったのに、私たちは見ているのに見えていなかったのです。

何十回、何百回そこを通っていながら、私はいつもただぼんやりと「人が多い交差点だなあ」と思っていただけ。それはたぶん、「この街にはなにもないですよ」と同じです。

東京では他に、新宿・歌舞伎町や秋葉原も外国人観光客に人気です。もちろん元々特徴のある街で、よく知られていました。けれど、街そのものが観光スポットになるという発想は、日本人にはありませんでした。

地方では、元乃隅《もとのすみ》神社（山口県）、あしかがフラワーパーク（栃木県）、新倉《あらくら》富士浅間《せんげん》神社（山梨県）…など。むろん地元では以前から知られていたのでしょうが、多くの日本人が外国人観光客によって初めて知った観光スポットです。

なんだか、明治時代にフェノロサが日本の仏像や絵画の美を発見した故事を思い出します。

目の前にあるのに見ていない。外からの視点によって初めて、そこになにかがあることに気づく。私はそれを「切り口」と呼んでいます。

言わずもがなですが、それは外国からの視点に限りません。東京から見た地方もあれば、逆に地方から見た東京もあります。男と女、大人と子供、専門家と素人……。同じものを見ていても、それぞれ微妙に違う部分を見ています。いや実は自分の中だって、学生時代の自分と現在の自分とでは、同じものを見ても感じることが違います。

立場が異なる者同士の間に生まれる違和感や、誤解、勘違い、勝手な思い入れ…などは普通はマイナスに作用します。が、それが「切り口」を生むこともあるのです。

なにもないと思っている日常でも、別の切り口で見てみればなにかを発見することもある。面白いトークはそういうところから生まれたりします。

聞いてみなけりゃわからない「切り口」

以前、佐賀県にある自治体（市と町あわせて二十）を題材に、二十の短編を書いたことがあります（『あなたに似た街』小学館）。とはいえ、私は佐賀県出身ではありません。外の人間が佐賀県を見ることで、なにか違う魅力が発見できるのではないか、というアイデアです。

再び、こう言っては失礼ながら、佐賀県は全国的に有名な観光県というわけではありません。どちらかというと、「この街にはなにもないですよ」の方です。県の観光担当者の方もそれはわかっていて、「外からの視点で自由に書いてください」と理解してくれました。当然そこではいろいろな切り口の発見がありました。


取材のため二泊三日で県内各地を案内してもらい、途中三ヶ所で地元に住む方たち数人と一緒に話す会をセッティングしてもらいました。

「話を聞くのは、地元で有名な旅館の女将《おかみ》とか、窯元の方とか、観光施設の方とか、そういう方たちではなく、ごく普通の会社員とか学生さんとか主婦にしてもらえますか？　そして、会議室での取材だとカタくなるので、喫茶店でワイワイガヤガヤ雑談する感じにしたいのですが」

というわがままなお願いを聞いてもらいました。私の場合はトークのネタではなく、小説のネタですが、そういう普通の人たちとの会話の中に面白そうな話題があるのは経験的に知っています。そしてそれはたいていの場合、当人たちにとっては普通のことなのです。

佐賀県は熱気球が盛んです。「私は大学の部活の熱気球部に入りたくて東京から来まし

た」という大学生がいました。そういう進路の動機は珍しく、面白い。気球に動力はなく上空の気流に乗って動くというので、

「じゃあ、飛んでる時は風の音がうるさいんですか？」

と聞くと、

「よくそう聞かれるんですけど、自分たちが風の中にいるから無音。静かなんです」

聞いてみなけりゃわからないものです。なんだか人生の奥義《おうぎ》を教えられたような気がして、もちろん小説に使いました。

旅館の息子だという方は、

「子供の頃は、帳場で黒板に『正』の字を書いて……」

となにげなく言う。

「なんですそれ？」

「出したお銚子の数です。旅館の子供あるあるですよ」

あるあるなのか！　当然小説に使いました。

思惑とは違う「切り口」

県の方に手配してもらい、温泉地の観光ホテルに宿をとりました。昼間はその温泉地の

有名な場所をいくつか、観光ガイドさんに案内してもらいました。みんな由緒正しい由来があったり、素晴らしい建物だったりするのですが、申しわけないけど私はあまり興味をそそられませんでした。

寒い冬でした。シーズンオフだったせいか、ホテルのお客さんは少ない。館内は閑散としています。温泉の大浴場を、私は貸し切り状態で使わせてもらいました。

(世の中不景気だから、こういう団体旅行客を前提にした昔風の大型観光ホテルは大変だろうなあ)

と勝手に経営の心配をしました。

部屋は二階。窓から外を見ると、ちょうど温泉街が見渡せます。冬の夜。ほとんど人通りはありません。等間隔に並んだ街灯が、寂しく通りを照らしています。その街灯の一本がたまたま窓のすぐ外にありました。二階なので、ちょうど電球を入れるフード部分が目の前に見えます。電球二個をセットするスタイルになっていましたが、そのうち一個に電球はありませんでした。

(ああ、温泉街全体で、せめてもの節電をしてるんだな)

と思いました。

夕食は部屋で食べるスタイルです。温泉ホテル特有のいろいろな料理が並んだ豪華版。

中にレモングラスを使ったデザートがありました。

（レモングラス？）

私の心になにかがひっかかりました。そういえばさっきホテルの館内案内ガイドを見ていると、お土産にレモングラスを使った商品があったのです。仲居さんに、

「ここ、レモングラスが名産なんですか？」

と聞くと、いま町おこしで特産にしようとしているとの答え。そんな話は、昼間のガイドさんからは出てきませんでした。おそらく、ガイドさんと県の方は、ここは由緒がある人気の温泉地であるということを私にアピールしたかった。当然です。私だってそれはわかっています。ただそれをストレートに書いたら観光パンフレットみたいな話になってしまうので、どうしたものかと思っていたのです。

ところが、泊まったホテルが「貸し切り状態の大浴場」、温泉街の街灯は「電球が一個はずされている」。そこへ「レモングラスで町おこし」です。そこで私は、傾いた実家の温泉旅館を、レモングラスを使って若い女性客向けにリニューアルしようとする女の子の物語を作りました。

ひょっとしたら、たまたま私が泊まった日のお客さんが少なかっただけで、翌日は団体客が来るのかもしれない。街灯の電球が一個はずされていたのは電球が切れたからで、私

が見た一本だけだったのかもしれない。

しかし私は、かつては栄えたけど今は元気がない、けれどなんとか活路を見出そうとしている…という「切り口」で小説を書きました。県の観光担当者や観光ガイドの方の思惑とは違っていたかもしれませんけど。

二十年眠っていた「切り口」

ずっと以前、女優の瀬戸朝香さんのラジオ番組を担当したことがあります。彼女が新人女優として注目された頃です。

番組の打ち合わせの時、彼女に東京で一人暮らしを始めた頃のことを聞いたら、

「自分用にスヌーピーの可愛いマグカップを買ったのが嬉しかった」

という答えが返ってきました。スヌーピーではなくミッキーマウスかキティちゃんだったかもしれません。いずれにせよ、そういうキャラクターもの。

「え？」

私は意外に思いました。

十代の女の子としては、普通のことだろうとは思います。けれど彼女は、出身地である愛知県瀬戸市から「瀬戸朝香」という芸名がつけられているのです。瀬戸市は、その名の

通り、瀬戸物で有名です。

「マグカップなんて、地元でいいのがいっぱいあるんじゃないですか？」

「あります。地元の人は瀬戸物市とかで安い端物なんかを買います。安いけど、ちゃんとしたものです」

「じゃあ、どうしてマグカップが嬉しいの？」

「なんか、地元では、食器はちゃんとしたものを使うという無言の雰囲気みたいなものがあって、小さい頃、キャラクターものが欲しいって言い出しにくくて……」

なるほど、陶磁器の名産地で生まれ育った人にはそういう感覚があるのか、と私は少し感動しました。

おそらくそのスヌーピーのマグカップは、地元を離れて一人暮らしを始めた少女の、解放感と不安感、そして未来への期待感の象徴だったのでしょう。

それから二十年後。私は、例の佐賀県の各自治体を舞台にした小説集を作ることになったのです。佐賀県には有田、伊万里という全国的に有名な陶磁器の産地があります。細長い谷筋に張り付いたようなそのこぢんまりとした街並みを見学している時、私は二十年前に聞いた瀬戸朝香さんのエピソードを急に思い出したのです。その「切り口」で小説を書きました。
これもまた、ひょっとしたら彼女はマグカップを買うことにそれほどの思い入れはなかったのかもしれない。けれど私は勝手に彼女の思いを感じ取り、「切り口」として心の中に持っていた。記憶の底でずっと眠っていたそれが、陶磁器の街を前にして急に浮かび上がってきたのです。

落語の「まくら」

落語には、噺に入る前にちょっとした小咄《こばなし》や雑談めいた導入を語る「まくら」と呼ばれる部分があります。たとえば「試し酒」とか「親子酒」「禁酒番屋」といったお酒を題材にした落語なら、お酒に関するまくら。「片棒」「味噌蔵」といったケチを題材にした落語ならケチとかお金に関するまくら…と。
昔から使われている定番のまくらもありますが、そうではなく自分が体験したエピソードでオリジナルのまくらを語る落語家もいます。ご隠居さんや八っつぁん、熊さんが出てくる古典落語であっても、導入のまくらは現代の話でもいい。いえむしろ、現代の話が必要なケースもあります。たとえば「寝床」という落語は、下手な義太夫を他人に聞かせるという迷惑な噺なのですが、義太夫なんて言われてもほとんどの現代人にはピンときません。しかし、まくらでカラオケの話をすれば、「ああ、下手なカラオケみたいなものか」と落語の世界に入っていきやすくなります。

落語好きはたいてい、まくらを聞きながら、

（電車の話をしてるな。乗り物の噺かな、いや旅の噺か？　なんだろう？　「蔵前駕籠《くらまえかご》」？　「蜘蛛《くも》駕籠」？　いや「三人旅」か？）

などと推測しながら楽しみ、本編のお馴染みのセリフが始まると、

（「反対俥《ぐるま》」か！）

などと納得して、そこからの本編を楽しみます。

私はかつてラジオで、市販されている落語CDのまくらだけを紹介する『まくら@ラクゴ』という番組を企画したことがあります。ラジオとはいえ一本十五分や長ければ三、四十分もする落語をじっと聞いてくれる時代ではない。でも、まくらなら三、四分くらい。ちょうど楽曲にして一曲分です。これくらいなら聞いてくれるだろう。しかも、落語家さんがオリジナルで語っているまくらは現代の話なので、「古典落語の世界は難しい」と敬遠している人でも聞いてくれるのではないか、と考えたのです。

番組では、たとえば、

「アンティークショップに行ったというまくらでした。このあと、古道具を題材にした『道具屋』という落語になるからです。気になったらCDを買うとか、寄席や独演会に行ってみてください」

といった感じで紹介しました。

元々私の落語好きから企画したのですが、すぐに、

「あ、オリジナルのまくらというのは、要するにフリートークなんだ」

と気がつきました。

落語家は自分が経験したことや遭遇した場面を、「これはケチという切り口を使えば、あの噺のまくらに使える」「これは、親孝行という切り口であの噺のまくらになる」などと思いつき、語るわけです。そのあとに続く落語本編を切り離しても面白いのですから、フリートークです。

そしてもう一つ気がついたのは、

「オリジナルのまくらが面白い落語家は、本編の古典落語も面白い」

ということ。

一つの落語の中にはいろいろな要素があります。たとえば、夫婦愛、商売、約束、ケチ、親孝行…など。そのどれか一つを「切り口」として、オリジナルのまくらを作れる人は、

逆に本編の古典落語も自分なりの切り口で見直すことができる。古典落語は江戸、明治から伝わるもの。多くの落語家が演じてきて、ほぼ定番の形ができあがっています。けれどまだ、あらたな面白さを見つけることもできるのです。

観光スポット、佐賀県の短編小説、落語のまくら、トーク…一見バラバラに見えるでしょうが、共通するのは、目の前にある当たり前の世界をなにかの「切り口」で見るということ。するとあらたな面白さが見つかることもあるのです。

出来事より心の動き

放送作家としてラジオ番組を担当していると、基本的には毎週タレントさんに、「最近、なにかありましたか?」と聞きます。近況トークをしてもらうためです。しかしたいていの場合、答えは「なにもないんですよ」。

タレント活動というのは、普通の人間の日常よりも変化に富んでいます。毎日決まった会社に決まった時間に通うのではなく、いろいろな場所で仕事があるし、地方でロケやステージを行う場合もあります。会う人も毎回同じではなく、時には有名な人や、めったに会えない人と会ったり。珍しい話を聞けたりもします。なにもない、はずがないと思うのですが……。

　でも多くの方が「なにもなかった」と感じている。なぜでしょう？　トークでは日常とは違うなにか大きな出来事を話さなくては――と思っているのではないでしょうか？　もちろん大きな出来事があればそれを話せばいいのですが、小さな出来事だっていいのです。

　たとえば仕事でどこか地方に行った時、それをどうトークにすることができるのか？　番組では打ち合わせしながら、作家やディレクターが雑談まじりにいくつかの「切り口」で質問することがあります。

　すると、最初は「なにもない」と言っていた旅でも、「あ、そういえば、こういうことがあった」となにかを思い出したりします。あるいは、サラッと流して話すところや飛ばしたところで「そこのところを詳しく聞きたい」と言うと、「え？　この話面白いですか？」となることもあります。本人がつまらないと思って除外していた部分は、他者からみれば興味深いこともあるのです。その結果、内容のあるトークになることも多い。

　考えてみれば、そもそもトークのために旅に行っているわけではなく、なにかの仕事で出かけているのです。視点の中心は仕事にあり、それ以外のことに注意がいかないのは当然のこと。私たち他人に聞かれて、初めて気づくこともあるでしょう。

こういう時に質問する切り口のパターンを使って、ここであなたも考えてみませんか？　あなたがどこかに旅行した経験をトークにする場合です。

切り口①　旅行報告〜旅の行程を話す

「どこへ行った？」
「なにをしに行った？」
「どんな人に会った？」…など。

わざわざ切り口というほどのことはありません。基本の形。普通のトークです。珍しい場所への旅ならば、そのまま話せばいい。簡単なことです。しかし、さほど珍しくもない行先だったり、もう何度も行って新鮮味のない場所もあります。

たとえば…、地元の人が「この街にはなにもないですよ」という場所。本当に、なにもないのでしょうか？　渋谷のスクランブル交差点のようなケースはないのでしょうか？

切り口②　旅行こぼれ話〜旅の行程の余白部分

「天気はどう？」
「乗り物はなんで行った？」

「食事はどうだった?」…など。

普通はわざわざ人に話すことではないと頭の中から除外していることに、なにか面白いエピソードが隠れている場合もあります。

たとえば…、今は元気がなく寂れたシャッター通り商店街で、ひっそりと営業をしているお店に入ってみると、「爺さんの代はずいぶん栄えたと聞いてるんですけど」という話があるかもしれない。「その頃は、お金持ちは芸者をあげて……」「え? この街で?」「こんな街でも、昔は小さな花街みたいな場所があったんですって。ウチから二本ほど奥に行った通りのあたり。いまも建物になんとなく当時の面影がありますよ」…なんて観光ガイドでは余白扱いされる街の側面を知り、あとで教えてもらったその場所のあたりを見に行ってみたりとか。

切り口③　旅行アクシデント〜旅にはトラブルがつきもの

「予想と違ったことは?」

「忘れ物はなかった?」

「道に迷ったりは?」…など。

基本的にアクシデントは、トークにとっては「おいしい」のです。もちろんそれは、無事に帰ってきているからそう言えるわけですが。

　たとえば…、歩いているうちに道に迷って、住宅地の間で「なんでここに階段があるんだろう?」とか「この妙な看板はなんだろう?」という発見があるかもしれない。純粋階段とか、植物ワイパーとか、貼り紙の妙な文章とか、道路に落ちている軍手片方とか。そういうのを面白がって写真に撮ったり、ウロウロキョロキョロしていると、「あんた何してるの?」と地元のオジサンに不審がられ、トラブルの予感!「いや、あの…これは路上観察学といいまして…」と苦し紛れでごまかそうとしたら、「ほう。赤瀬川原平の?懐かしいな」なんて、オジサンに意外にサブカル的知識があって話が盛り上がり、とか。

切り口④　旅行前後〜旅の前と後

「そもそもなぜそこへ行くことに?」

「旅の準備は?」

「なにかお土産を買ってきた?」…など。

　旅行前後のことに、なにか語る内容がある場合もあります。とくに、後。後日談があることも。「家に帰るまでが遠足」とはよく言われる言葉ですが、「行く前の準備と、旅と、帰ってからのアレコレも含めてが旅」なのです。

たとえば…、あきらかに繁昌していない様子の小売店でデッドストックのお宝に出会うかもしれない。内心、（お、これはすごいお宝じゃないか！）と心臓ドキドキしたけど、店の人にその素振りも見せずに、しれっと買って帰る。そして友人に「どうだ、すごいだろ！」と自慢して見せたら、「それは復刻版だよ」と指摘されてガッカリ。後になって「あの時のドキドキを返せ！」と思ったり、とか。

切り口⑤　心の動き～旅の過程でなにを思い、感じたか

「期待通り？　それとも期待外れ？」
「感激したことは？」
「今も釈然としないことは？」…など。

感情で旅を振り返ってみると、あちこちにトークのポイントを発見できます。いいことは限らず、残念だったことでもいいのです。

たとえば…、シャッター通り商店街で、期待して入った店で「実は東京から移り住んでまだ三年目でして」と聞かされてガッカリ。ところが、この街はご両親の出身地でもなく、まったく縁もゆかりもないという。「では、なぜ？」と疑問に思うと、地方活性化の公募プロジェクトがあって、それに応募したら選ばれた。選ばれてからがまた大変で…なんてケースもあるかもしれない。人生をリセットしようとする人の心情と、寂れる街をなんとかしたいという地元の人のありがたいけどややおせっかいな心情の板挟みに、「どっちもわかるなあ」と思ったり。

旅のトークは「どこに行ってなにがあったという出来事」だけでなく、いろんな語り方があります。とくに「その時こんな風に思ったという心の動き」で切り取れば、平板な出来事も立体的になるのです。

「心の動き」なんていうとなんだか高尚な表現ですが、なに、たいしたことではありません。ちょっとした好奇心や違和感や、おせっかい、早とちり、野次馬精神、嬉しい、恥ずかしい、羨ましい、腹が立つ、不安感、高揚感、ガッカリ感、後悔…など、どれも誰だって持っている普通の感情です。自分のそういった気持ちをテコにすればいいだけです。

ということは、「心の動き」を切り口にすれば、トークの題材は旅に限らない。食事会でも、買い物でも、散歩でも、大掃除でも、徹夜でも…なににでも心の動きはあるわけですから、トークのネタはいつでも私たちの周囲にあるということになります。

おそらくトークが上手な人は、ふだんからこういった「切り口」をいっぱい持っているのだと思います。とはいえ、しじゅう鵜《う》の目鷹の目で「なにか面白いことはないか」とキヨロキョロ周囲を見渡している必要はありません。

「ゆるパイ」とは？

この章の最後にもう一冊、私の本の話をさせてください。私はかつて『ゆるパイ図鑑』（扶桑社）という本を出したことがあります。

浜松名物の「うなぎパイ」はとても有名で、静岡土産として多くの方がご存じだと思います。が、旅行に行くと、空港とか駅の土産物売り場で「ん？　ここにもうなぎパイが？」と見まがうお菓子を見かけた方も多いと思います。私もそういう経験を何度かしたので、「こういったお土産のご当地パイは全県にあるのではないか？」と思い、収集しました。

予想通り、たとえば秋田には「はたはたパイ」があり、名古屋には「きしめんパイ」があり、島根には「どじょうパイ」があり、沖縄には「黒糖塩パイ」があります。土地の名物は全都道府県で複数のパイにされていたのです。

青森にも長野にも「りんごパイ」があり、それは当然だと思いますが、アップルパイとの差別化はどうなっているのか？　その「りんごパイ」も「夏みかんパイ」（山口）も、形状は細長い。うなぎは細長いからパイもあの形になっているわけで、みかんやりんごのパイが細長い理由がない。…など失礼ながらどれもコンセプトがゆるく、そこが面白く微笑ましい。それはまるで、日本全国で膨大な数が誕生した「ゆるキャラ」のようなので、私が勝手に「ゆるパイ」と名付けました。

本では、収集したパイを、魚介系、フルーツ系、肉系…などに分類し、特徴的なゆるパイの由来や特徴を分析し、解説しました。

出版記念に、渋谷ヒカリエで、収集したパイを集めて「全国ゆるパイ展」を開催しました。無料展覧会だったのですが、十日間の会期で一万人もの方がやってきました。

「日本人はこんなにパイ好きだったのか！」

と私は、仕掛けておきながら驚きました。

展覧会では何種類かのゆるパイが購入できるようにしました。これがすごい売り上げ。用意したパイはあっという間に完売し、一方、私の『ゆるパイ図鑑』は大量に売れ残りました。よく考えたら、これは本の出版記念展覧会だったのです。まったくの本末転倒イベントになってしまいました。

この本を読んだ私の周囲の方の反応は、きまってこうです。

「青銅さんのあの本を見てから、空港とか駅の土産物売り場で、どうしてもゆるパイが目に入ってしまうようになりました」

そして時に、

「＊＊県に行った時こういうパイを見つけたので、買ってきました」

と私にお土産のゆるパイをくれたりもします。


これはつまり、いったん「ゆるパイ」という面白がり方を知ったら、意識して探さなくても土産物売り場で勝手に目に入ってきてしまうということ。「ゆるパイ」を「切り口」に置き換えれば、意識して探さなくてもトークのネタが自然に見つかってしまうということではないか？　そう、鵜の目鷹の目で周囲を見渡す必要はないのです。

「あの人はなぜかいつも面白いトークネタを持っている」というケースは、きっとそういうことなのでしょう。

特別企画

紙上トークレッスン

〔収録：二〇二三年九月　河出書房新社会議室／構成：山本ぽてと〕

青銅● 2005年、『フリートーカー・ジャック！』（ラジオ日本）という番組を立ち上げました。三十分間のフリートーク・ラジオ番組で、三十歳前後の売れていない芸人さんに毎週十人程度来ていただいて、トークをしてもらうんです。

この番組で若林さんがすごく面白い話をするので、何度も来てもらっていました。

2008年にオードリーがM－1の敗者復活戦で大ブレイクしたのをテレビで見て、「オードリーは絶対に面白いから！　トゥースじゃない方が喋れる」とスタッフを説得して生まれたのが、今も続いている『オードリーのオールナイトニッポン』です。

今回トークの本を作るという話を若林さんにしたら、

「『フリートーカー・ジャック！』のように、トークのアドバイスをして、どう変わるのかを紙上で再現してもらうと面白いんじゃないですか」

と言われました。

というわけで、トークのアドバイスをする企画、名付けて「フリートーカー・ジャック！風トークレッスン」をしたいと思います。

今回は、三人の方に来ていただきました。まずは、芸人さんであるジャガモンドの斉藤正伸《まさのぶ》さん。彼は若林さんの所属事務所、ケイダッシュステージの後輩芸人さんです。さらに会社員をしている三浦さんと、大学院生の中山さん。お二人は芸人さんではなく、一般の方たちです。

お三方には、三分程度の話したいことを準備してきてもらいました。それぞれのトークを聞き、僕がアドバイスをする時間を一人十五分程度、最後にお三方にはみんなの前でトークを披露していただきます。

はたして、どうなるのか。実験的な企画です。

＊ケース１：オチのない話のまとめ方――三浦舞子さん〔河出書房新社にて校閲の部署で働いている。芸人さんのラジオが好き〕

青銅●正直なところを聞かせてほしいんですが、三浦さんには「面白いトークをしたい」という気持ちがありますか。

三浦●あります。日常生活の中でオチのある話をできることがあまりないし、オチがなくても、聞かせられるような話をできるようになってみたい。それで場を盛り上げて、楽しい時間を過ごしたいなぁと。

青銅●なるほど。たしかに、話をした時に、しらけられるよりは、楽しい時間が過ごせるかもしれませんね。今日はどんなトークをする予定ですか？

三浦●私は今、歯の矯正をしていて。今日はマスクをつけてるんですけど。矯正は一年ぐらいかかるんです。でも、始まる前までがまず長くて。

青銅●始まる前？

三浦●矯正って、虫歯が一個でもあるとできないんですね。

青銅●あっ、そうなんだ。

三浦●私の場合、何本か虫歯が見つかってしまい、五年ぶりに虫歯の治療で歯医者通いをすることになりました。この歳になっても、歯医者の治療は、痛いし、怖いし……。その痛みや怖さをどうにかして乗り越えたいなと思った時に、自然とやっていたことがあって。私、ふだんから芸人さんのラジオを聞いたり、YouTubeを見たりするのが好きなんですけど。

青銅● へぇ、誰が好きなんですか？

三浦● ママタルトさんと霜降り明星さん、ハライチさんが好きで。それで、歯医者で治療されている時に、その人たちに頭の中で喋ってもらうようにしたんですよ。小さい頃から、痛みを耐える時に、一人で頭の中で喋ることが多かったんですけど、それを芸人さんにやってもらう。

青銅● 頭の中で代わりに喋ってもらうんですね。「痛くないよ」とか？

三浦● どっちかっていうと「ここ、いつまで削るんだよ！」って。

青銅● あっ、ツッコミを入れてもらうんだ（笑）。

三浦● はい。それを虫歯の治療中にずっと頭の中でやっていたら、けっこう気が紛れるし、その時間をちょっとポジティブに過ごせるようになりました。この歯医者にいる間の時間は、痛くなくても芸人さんの声を流すことにして。

青銅● 三浦さんの頭の中で勝手にね。

三浦● はい。痛みに耐える時以外でも、汎用性《はんよう》があるなと思ったんですよ。たとえばその歯医者さんは、治療の記録をこまめに写真に撮って残すんですが、自分で口を開ける限界よりも、縦にも横にもさらに口を開ける器具があって、それを自分の手で固定したまま写真を撮られる。

青銅● ほお。自分でやるの？

三浦● そうなんです。持ったまま。そういう時、たぶん見られたもんじゃない顔をしていて恥ずかしいなと思うので、脳内の芸人さんに「なんやねん、これ！」と言ってもらうのが、けっこう救いになっています。…ごめんなさい。ちょっとオチとかないんですけど。

青銅● いやいや、オチはいいのよ。なんとかなるから。この話をしたいってことね。

三浦● そうです。

青銅● いいですね。本当は、その医者に自分で文句を言いたいわけでしょう。でもそれは社会人として言えないし、だから代わりに脳内の芸人さんに言わせていると。そういう話にしたらいいんじゃないかな。

三浦● あっ、自分の文句を代わりに言ってもらっていると。

青銅● うん。だからまず、予備知識を説明するといいかもしれませんね。矯正はすぐできないんだってことを話す。やったことのある人には常識かもしれないけど、僕は初めて知りました。すぐできると思ったら、まず虫歯を治さなきゃいけないんだって。何ヶ月くらい虫歯治療したんですか？

三浦● 四、五本あったので四ヶ月くらい。予約も取りづらいし……。

青銅● そこからようやく始まるのかってことだよね。それで、文句を言いたいのは痛いからなんですか。それとも変な顔をさせられるから？

三浦● 基本的には痛くて、この時間をやり過ごしたい。

青銅● 虫歯の治療で痛いし、こんなことしないでさっさと矯正してほしい。

三浦● そうですね。矯正がしたいのに。

青銅● 私は早く矯正がしたいのに、もうわざと虫歯を見つけてないか？　みたいなのもあるじゃないですか。でもそれは言えないから。頭の中で大好きな芸人さんに言ってもらっていると。

この場合、芸人さんのトークだと「脳内でずっと言ってたのに、『いい加減にしろ！』って思わず口に出しちゃった」という話がオチになると思います。ただそれは、現実じゃないでしょう。

三浦● ないですね。

青銅● ないですよね。嘘になっちゃう。そこまでいくと作為が感じられちゃうので、それはふだんのお喋りでやる必要はないと思うんですよ。だから虫歯の治療が必要だと言われて、それが痛い。でも矯正は痛くないわけですよね。

三浦● 虫歯の治療に比べたら全然痛くないです。

青銅● 今はどこまで進んでいるんですか？

三浦● 今は虫歯の治療が終わって、矯正のマウスピースをつけ始めて一週間くらいです。

青銅● じゃあオチは、「今は矯正のマウスピースをつけ始めて一週間くらいです」という感じでいいと思う。あともう痛くないなら、脳内芸人さんが登場する機会は減ったんですか？

三浦● そうなんですよ。矯正中も歯医者には行くんですが、虫歯のように痛い治療はもうないんです。脳内芸人さんの登場はひとまず終わり。

青銅● 終わったんですね。「それはちょっと寂しい」という終わり方もいいかもしれませんね。今もラジオは聞いているんですよね？

三浦● 聞いてます。けっこうずっと流していますね。家にいる間とか、家事をしながら、通勤しながら、朝の準備しながら。

青銅● じゃあラジオを聞くと痛みを思い出すとか……。うーん、でもそれだとちょっと作為がすぎる感じがある。だから日常で、ちゃんと落ちる話ってほとんどないんですよ。

三浦● そうなんですよ。だから今日の話もオチをどうしたらいいのかわからなくて。

青銅●うんそうそう。でもオチっていらないんです。だから途中が面白ければ全然いいんですけどね。いま言った、「芸人さんが脳内でツッコんでいる」ので十分面白いし、最後は「ちょっと寂しい」って落とし方でいいのかもしれません。

三浦●そうですね。脳内劇場が終わっちゃってちょっと寂しい。

青銅●なんか、どうだ！　って落とし方が僕はあんまり好きじゃない。ドヤ顔になるじゃないですか。

三浦●私が好きな芸人さんのフリートークも、途中がすごく盛り上がって、ふざけ倒して、最後は落ちているわけじゃないんだけど、ああ、なんか面白かった、みたいなのが好きです。

青銅●そうそう。それでいいんですよね。矯正が始まって痛くないから、脳内で悪態をつけなくてちょっと寂しい。

三浦●それは自分のリアルって感じがします。

青銅●三浦さんはいま接していても、人当たりがやわらかい印象だから、ふだんあまり人に悪態ついているのが想像できないですし。

三浦●言えない、言えない。

青銅●だから脳内で、自分ではなく、芸人さんだから「この下手くそ！」とかが言えるわけでしょう。それがストレス解消にもなっていたんじゃないかな。頭の中の芸人だからこそ、文句が言える。「この下手くそが！」とか「ちゃんと医者の免許取ってるんだろうな！」とか。脳内では霜降り明星の粗品が言っているのかもしれないけど、実は自分が考えて言っているわけで。私ってこんなに人のことを悪く言えるんだと発見があるとかね。そういうのも面白いですよね。

三浦● それはわかります。他人の声だから言っちゃう。

青銅● そこを強調して、今は痛くないからちょっと物足りないし、寂しいのだと。人には悪く言いたい心が必ずあるから。それを呼び覚ましちゃったという話でいいんじゃないでしょうか。

三浦● ありがとうございます。

＊ケース2：オチる話の運び方——中山塁さん〔理系の大学院生。就職活動中〕

中山● 中山です。よろしくお願いします。大学院の一年生をやってます。

青銅● ほぉ、なにを研究しているんですか？

中山● 理系なんですけど、専門は経済とか経営で、統計モデルを使った分析をやっています。
青銅● じゃあもう早く世の中を好景気にしてください（笑）。今日はなんのお話を持ってきていただけましたか。
中山● 目上の人と話をしている時に、返しづらい雰囲気になる時ってありますよね。たとえば、昔ワルかった自慢をされた時とか。あんまり知らない趣味の話をされた時とか。「へぇ～」としか言えない状態になる。
青銅● ああ、ありますね。
中山● その時の「正解」をスマートフォンでメモしているんですよ。
青銅● 正解があるの？
中山● 僕なりの正解があるんです。たとえば昔ワルかった自慢をされた時。
青銅● 昔、ワルかったよ、ひどいことしたよ、昔はってね。
中山● その時に、「そのまま大人にならなくてよかったですね」と言う。
青銅● うーん、正解…なんですかね。
中山● 話をそこで切ることができるんです。
青銅● ああ、話を終わらせる正解ということね。

中山●そうです。話を終わらせる正解。昔のワルかった時代のことはちょっと否定しつつ、今のあなたのことは肯定的に捉えていますというのを一言で示せているんじゃないかと。

青銅●なるほど……。それ、うまくいってます？　疑問だな（笑）。

中山●今のところ、うまくいってます（笑）。踏み込みつつ、笑ってくれるんで。もう一つは、あまり興味がない趣味の話をされた時、「そっちってこだわりだすと、キリがないですもんね」と言うのが正解。

青銅●たとえばどんな趣味ですか。

中山●実体験なのですが、バイト先の店長がバイクの話を始めて、僕はあまり興味がなくて、免許も持ってないので。興味ないなぁと思っているんだけど、「最近こんなパーツを買ったんだ」っていう話をされて。その時に、「そっちってこだわりだすと、キリがないですもんね」と言うと、ちょっと喜んでくれるし。

青銅●喜びそうだね。でもそこから話広がっちゃわない？　大丈夫？

中山●「まあキリないね」って言われて話は終わりました。たぶん喜ばせながらも、こっちが興味がないニュアンスも含まれている。二つの効果があるのかなと思っていて。これが僕の正解。今のところ、うまくいっているんです。

青銅●そうかな。うまくいってるかな……？

中山● あれ、いってないのかな？

青銅● バイク以外でも成功しましたか？

中山● 日本酒ですね。日本酒でも「産地がどうで、辛めで……」という話を先輩にされたけど、僕は飲みやすい、飲みづらいしかわからないので、「そっちってこだわりだしたら、キリないですもんね」と言って話が終わった。

青銅● そこから盛り上がろうという気はないわけでしょう。基本、興味がないと。バイクにも日本酒にも。

中山● そうですね。興味がないです。

青銅● じゃあ君の興味があるものは？

中山● 音楽。Ｊ－ＰＯＰを聞きますし、星野源さんが好きです。

青銅● それを人に話すことはあるの？

中山● 人に語ることは、たまにあるかな。「昔のアルバムがいいよ！」と言っちゃったり。

青銅● うんうん。音楽ファンってそういうこと言いがちだよね。その時の相手の反応は？

中山● 反応ですか…あー、困ってますね。たしかに困ってました。僕も同じことを結局やっています。

青銅● 「星野源もこだわりだすとキリないですもんね」と返されたらどうですかね。

中山● 喜ぶかもしれないけど、微妙かもしれない。

青銅● 今回のトークは、「昔ワルかった」は捨てちゃって、好きな趣味を話された時の返しが面倒くさいって話にするのはどうでしょうか。

まず趣味のバイクの話を店長にされた。最初は「はぁ、はぁ」とか聞いてたんだけど、興味ないなと思う。「こだわりだすと、キリないですもんね」って返事をしたら、相手の話が終わって「相手を褒めつつ話を終わらせられるいい方法を見つけたぞ」と思うと。次に日本酒の話をされた時も同じ返しをやってみたと。

中山● そうですね。

青銅● このバイクや日本酒の話は、具体的で細かい方が面白いですね。ギアがどうだとか、エンジンがどうとか。日本酒だったら、新潟の米がどうこう、獺祭《だっさい》の大吟醸でどうこうとか。ちょっと僕も詳しくないのでわかりませんが。本当は興味がないから、ワードも覚えてないかもしれないけれど、ワードは入れた方が面白いですね。

中山● なるほど。具体的に言った方がいいんですね。

青銅● そうそう。あと中山さんは、話を合わせたり、一緒に盛り上がってあげようという気持ちはさらさらないわけですよね。

中山● さらさらない。そうですね。話を切り上げたい。

青銅●「知らねぇよ、バイクのことなんか」と。それはたぶん心の声で言った方がいい。「日本酒だって、酔えればなんでもいいんだよ」とかね。

中山●その通りですね。

青銅●それで、今度は逆に自分が言われてみるっていうのはどうでしょう。自分はうまく立ちまわっていたつもりだけど、いざやられるとあまりいい気持ちがしなかったと。たぶん、相手の人っていい気持ちしてないと思うんだよ。

中山●そうかぁ、藤井さんとお話ししていて、もしかしたら正解じゃないのかもしれないと思ってきました。

青銅●基本的に、人が他人に趣味の話をする時って、盛り上がりたいんだと思うんです。相手がその話題を知らなくても、魅力を伝えて、わかってもらいたい。だから中山さんが興味あるかどうかはどっちでもいい。きっとね。わかっていれば盛り上がりたいし、わかってなかったらよさを伝えたいから話をしているのに、バサッて切られると寂しい。

中山●寂しいのか。うなる返しだと今までは思ってました。

青銅●そうそう。最後のオチはそれでいいと思います。正解の返しだと思ってたのに、やられてみると、寂しいもんだなぁということに気づきましたと。ちょっと作為的かもしれないけど。

中山● そういうことですか。うわぁ、僕言われる側になったことなかった。嬉しくないですね。

青銅● トークとしても、自分は正しいと思っているけど、世間からみたらお前はおかしいという方が聞く側は面白いと思うんだよね。

さっき、星野源さんが好きと言ってましたけど、音楽以外で好きなものないですか？　音楽ってみんな好きだから「星野源いいよね」って思う人多いので。もう少し珍しいもの。

中山● 古着とか。

青銅● 若い子は好きだよね。年配の人は古着のよさわからないもん。だって古いじゃん……って思っちゃうんだけど。古着のよさってなんですか。

中山● その年代だけにある形があったりすることでしょうか。

青銅● 何年代が好きなの？

中山● 僕は90年代ですね。

青銅● へぇ、どんなの。

中山● Tシャツですね。生地のガサッとした感じとか。サイズも大きかったりして、その雰囲気がカッコよくて好きなんです。

青銅● うん、古着の話の方がいいね。今の中山さんの古着へのこだわりは、僕はどうでもいいと思って聞いているんですけど（笑）。そこのこだわりをぜひ語った方がいい。で、「ああ、古着もこだわりだすとキリないですもんね」と言われてしまうと。

中山●ちょっと嫌ですね。

青銅●バイク、日本酒、古着の順番で話してみましょう。古着のところでは思う存分、ここにいる人たちに古着の魅力を伝えたいと思って喋ってみてください。僕は詳しくないけど、タグがどうこうとか、色あせ具合とか、最近はナイロンが入っているけど、綿１００％がなんとかとか、細かいこだわりを熱く語ってください。

中山●ありがとうございます。やってみます。

青銅●はい。このアドバイス、役に立ってるのかな。僕が不安になってきた……。

＊ケース３：「自分」を伝えるためのネタ選び――ジャガモンド・斉藤正伸さん（ケイダッシュステージ所属お笑いコンビ・ジャガモンドのツッコミ。「映画紹介人」として活躍中）

斉藤●失礼します！　お願いします！

青銅●斉藤さんは最近、映画の解説のお仕事が多いと思いますが、今日は映画以外の話にしてね。

斉藤● はい。映画以外の話をします。

青銅● どうぞどうぞ。

斉藤● 僕は今、「映画紹介人」という肩書で、映画の紹介をしているのですが、最終的には映画ではなく、相方のことをしっかり紹介する「相方紹介人」をやりたいと思っているんですよ。

青銅● 相方さんは、あの大きい人でしょう。ルックス的に、彼はザ・芸人さんだよね。

斉藤● そうそう。大きい人です。相方のきどは小学一年生からの幼なじみで、僕と見た目は正反対で、体重も僕の倍くらい、百キロもあって。目も小さくて、開いているか開いていないんだかわからない、陽気なおデブさんのような雰囲気を持っている。相方はずっと彼女がいなかったんです。でも三十歳になった時に、彼女ができて。

青銅● おお、おめでとう。

斉藤● でも四ヶ月後にフラれちゃったんですよね。その一週間後に事務所のお笑いライブがあったんですが、その時に芸人の先輩や仲間たちから「なんでフラれたの？」といじられまくって。相方はけっこう傷ついてしまった。聞かないでほしいのにって。

青銅● まぁ、そりゃそうだよね。最初の彼女にフラれたら辛いよね。

斉藤● 気持ちはわかるけど、芸人さんとしては面白いじゃないですか。でも相方は辛かったみたい。そのストレスなのか、本番にネタのセリフを全部飛ばしちゃって。僕も一生懸命、漫才を続けようとしたんですけど、全然うまくいかなくて、途中からもうアドリブでいくしかないなと。「ネタ飛ばしちゃって、どうしたの？　なにがあったの？」と聞いたら、「事務所の先輩後輩に彼女と別れたことをいじられて辛かった。なんでお前止めてくれないんだ！」と叫びはじめて。

青銅● 素晴らしいじゃないですか。『THE SECOND』のマシンガンズのような。

斉藤● そうなんですよ。それが皮肉なことに、僕らジャガモンド史上一番ウケて、その年の事務所ライブで初めて優勝できたんですよ。まぁ、そういうこともあって、それくらい魂を乗せた漫才をまたやりたい。相方の面白い面を世に出したいし、紹介していきたいなというのが僕の願望としてはあるんです。

青銅● なるほど。今のウケた話はいいんですけど。………なんだろうね。斉藤さんの話をした方がいいんじゃない？

斉藤● 僕自身のですか。

青銅● うん。まず聞いている人は相方のきどさんを知らないんだよね。知らない人の話をされても…となっちゃう。だから最初は自分の話をした方がいいんじゃないかな。

斉藤● さっき若林さんに似ていると言っていただいたんですが、でも若林さんは大喜利が強いじゃないですか。僕は弱いんですよ。芸人さんの先輩を見ていると、みんな自分の言葉や世界観を持っている。オリジナリティがある。でも僕はそういうところが苦手で。映画紹介や相方紹介はできるけど……。

青銅● そうだよね。さっきからね、人の紹介で、自分の話が出ないんだよ。

斉藤● そうですね。僕自身の話ってなると、なにかあったかな？　となっちゃう。

青銅● それで出てくるのも結局、映画になっちゃう。映画少年だったたっていうことになる。なんで映画監督にならなかったんですか？

斉藤● 僕は学生芸人をやっていて、当時から今の相方と大学お笑いをやっていたんですけど、裏では映画監督を目指していました。独学なんですけど。映像関係の仕事をしたいと思って、ＣＭの制作会社に就職しました。その時に、相方とは学生いっぱいで終わろうと大学でコンビを解散したんです。

青銅● はいはい。学生芸人の時にね。

斉藤● ＣＭの制作会社では、ＡＰ（アシスタント・プロデューサー）さん、いわゆるプロデューサーの補佐のようなところから始めていたんです。もちろん最初は雑用です。ある時、お弁当のＣＭで、俳優の方がお米を食べるＣＭを撮りました。そのお弁当のウリは、ご飯に「金芽米《きんめまい》」を使っていることだったんですよ。

青銅● 金芽米ってよくCMで見るけど、どう違うの？

斉藤● あまり詳しくないんですが、精米方法が違うらしいです。CM撮影前、ご飯を盛る段階で、「金芽米のよさが見えるようにセットして」と言われてですね。米の見た目も違っていて、金芽米は本当に金色にピカピカ光って見えるんですよね。たしか胚芽の一部がそう見えるので、炊くと、その部分がキラキラする。

青銅● なるほど。金芽米らしさが伝わるように見せるわけですね。

斉藤● そうです。それを俳優さんが箸で食べるというCMだったんです。僕は彼女のそばにつく係で、トランシーバーで指示が飛んでくるんですよ。「もっとツヤを出して！」とか。「もっと丸めて！」とか。

青銅● 丸める？

斉藤● 俳優さんが食べるひとすくいのご飯を丸めるんですよ。ひとすくいのご飯に対して「もっとキラキラさせて」「もっと金芽米らしく」みたいな指示が飛んできて。米のコンディションを調整する。その時に、この仕事を辞めようと思いました。なんだよ、この仕事って。

青銅● これが俺の目指していた仕事なのか？　って。

斉藤● そうですね。ここから三船敏郎につながらないだろうと思って。まぁ、つながるのかもしれない。そこからディレクターになる人もいたので。でも僕は裏方の仕事が合ってないなと思っちゃって。仕事を辞めて、相方にまた声をかけました。

青銅● 相方にどうやって声をかけたんですか？　もう一回やろうよということ？

斉藤● 実は相方は教員免許を持っているので、当時、教師をやっていたんです。

青銅● へぇ、先生の免許を持っているんだ。

斉藤● 今も芸人をやりながら、非常勤で働いています。当時はもっと本格的に教員をやっていたので、呼び出して。実は仕事を辞めてきちゃって、もう一度コンビを再結成しようと言いました。相方もいつかはやりたいと思っていたからと、再結成をしたという感じでしたね。

青銅● 面白いね。ＡＰさんの話がいいんじゃない。映画少年で、『スピード』で入って、学生芸人をやって、辞めて、映画監督の第一歩としてＣＭ制作の仕事に入ったけど、金芽米の件があって辞めて。それでもう一回相方と組んで今にいたるという。そういう自分の話でいいんじゃないかな。もしかしたら今のトークは、どこかでもう話しているかもしれないけど。

斉藤● 自分の話はしたことないです。

青銅●でも金芽米の話はしているでしょう。

斉藤●友人にはしたことがありますけど、お客さんの前で話したことはないです。

青銅●たぶん君みたいなタイプの人って、若林さんもそうだけど「自分の話なんかしても」って思うんだよね。

斉藤●めちゃくちゃ思ってます。

青銅●そうなんだよね。相方がキャラのある人だと余計に。若林さんも春日さんを立てなきゃと考えてきた。でも自分の話でいいと思いますよ。それで受け入れてくれない人もいるだろうけど、それはしょうがないじゃん。好き嫌いの話だからね。聞く方としては、斉藤さんがどんな人かわかった方がいいじゃんね。自分の話にしない？

斉藤●わかりました。自分の話にします。

青銅●うん。このアドバイスで大丈夫かな。

斉藤●めっちゃくちゃ励まされました。自分の話をしてほしいと言ってもらうことが今までほとんどなかったです。

［実演① 三浦舞子さんの場合］

私、今、歯並びの矯正をしていて、今もマウスピースをつけてるんですけど。矯正をしよう、お金もかかるけどやろうと決めて歯医者にまず行ったのが四月の末ぐらい。四ヶ月前ぐらいなんですよ。

で、実際に矯正を始めることができたのが、まだ一週間前、八月の末ぐらいなんですけど。この間、なにをしていたかというと、虫歯の治療です。矯正って、虫歯が一個でもあると始められないんですよ。一個でもあると、まずはそっちの治療から、って。

私も検査をしたら、虫歯が四本ぐらい見つかってしまったので、それを治してからっていうことになって、歯医者に通い始めたんですけど。

まず、私は歯並びを直したいのに、そこからなの？　なんか治療だけで三ヶ月とか四ヶ月とかかかるのかよっていうのが、最初っから胸の中にあって。

で、実際治療を始めてみたら、やっぱり何歳になってもというか、歯を削られてる間とかすごい痛いし、動けないし、なんか器具の音とかも必要以上にうるさい気がするし。だんだん不満が溜まってきて。

その中で始めてみたことがあります。それが、歯医者の倒れる椅子に座って、口開けて目つぶってる間、頭の中で好きな芸人さんにツッコんでもらうっていうことなんですけど。

たとえば、歯を削られてる間、ハライチの岩井さんに、「ちょっとなに、これ、麻酔効いてないんじゃないの⁉」とか、たとえば霜降りの粗品さんに「なに、今の音？怖っ！」みたいなことを、ちょっと代わりに言ってもらうっていう。

私、ふだんから芸人さんのラジオとかを、けっこう流しっぱなしにして聞いてるので、それで治療中もわりと気が紛れる部分があって。気が紛れると同時に、けっこう私、ふだんはあんまり怒ったり、人に強く言わないタイプなんですけど、芸人さんの声に乗せると、こんな風に人のことを悪く言えちゃうんだ、と発見があったんです。

一ヶ月前ぐらいに虫歯の治療が終わって、歯の矯正がいよいよ始まりました。矯正って、歯が動くので痛みはあるんですけど、虫歯の治療に比べたら、全然痛くないんですよ。歯医者に定期的に通ってはいるんですけど、もう痛いことは別にされないんですよね。なので、もう芸人さんにツッコんでもらう必要がなくなってしまって、人のことを口悪く言わなくてよくなったみたいな安心感はありつつ、でもちょっと寂し

――いなっていうのが、今の状況です。――

［講評］

青銅● すごくうまくまとめましたよね。時系列もきれいに整理されていて、スッと入りました。

三浦● ありがとうございます。

青銅● 芸人さんの部分はもうちょっと悪態をついた方がよかったかも。悪口をもっと言ってもいい。三つくらい言う方がよかったですね。その部分をふくらませて、さんざん悪態をついた方が、悪態がつけないから今ちょっと寂しいっていうラストが効くように思います。

三浦● そうですね。実際に頭の中ではいろんな人がひっきりなしにツッコんでいたので、もっと言ってもよかった。

青銅● もうちょっと強い言葉でもいいかもしれませんね。「下手くそ！」とか「医師免許持ってんのか！」とか。あと三浦さんはオチがないと最初は言っていたけど、別にオチなんてなくて、物語が終わればいいいんですよね。その方が自然だし。その場で喋っている感じでいいいんだと思います。

三浦● ありがとうございました。ドキドキしました。

青銅● 聞きやすくて、すごくよかったです。

[実演② 中山壘さんの場合]

中山● 僕、目上の人に自分が興味ない趣味の話を語られた時に返す正解っていうのを持ってて。メモしてるんですよ。

青銅● 持ってるのね。

中山● 持ってます。それが「こだわりだしたら、キリないですもんね」って返すこと。言われるとちょっと嬉しいし、歩み寄られた感じもするし、言う側からするとちょっと距離を置くこともできるし、話を切ることもできる。その二面で素晴らしい正解だと僕は思ってるんです。

これを実際に使った例があって。バイト先の店長に、バイクの話を語られたことがあって。「最近、新しいパーツ買って」って。「いや、興味ないな」と聞きながら思って。「このバイク、三秒で百キロ出て」「いや、どこで使うんだよ！」とか思いながら聞いてて。そこで僕が思う正解の「いや、こだわりだしたら、キリないですもんね」って言ったら、平和に、笑顔でなんとなく話を切ることができた。あっ、これ、やっぱ正解だと思って。

他にも、この言葉を使う機会があって。それが大学の先輩に日本酒の話を語られた時なんですけど。「旅行で新潟に行って、そこの日本酒がうまくて」って。「いや、興味ないな」と思いながら聞いてて。「米がおいしい所は、日本酒もおいしいんだよ」と。「じゃあ、米食べればいいじゃん！」って。ここで正解の「こだわりだしたら、キリないですもんね」って言って、そこもうまく平和に笑顔に終わった。相手もなんか嬉しそうにしているなと。こっちからはそう見えていて。

で、そんな中、僕が趣味について語ったことがあって。僕、古着が好きなんですけど、「90年代のTシャツの生地が素敵で、雰囲気がよくて、USA製のTシャツの形がよくて」みたいな話を友達にしたんです。その時に、「ハマったら大変だね」って、その友達に返されたんですよね。これって僕の「こだわりだしたら、キリないですもんね」に、すごい酷似してるじゃないですか。でも僕としては、まったくいい気分にならなくて。たしかに話は切れたんですけど……。

今まで正解だと思ってた、「こだわりだしたら、キリないですもんね」っていうのが、自分がいいと思っているだけで、まったく正解ではなかったという話です。

［講評］

青銅● ありがとうございます。…最初に「○○の話です」と振っちゃっていたのが惜しかったなぁ。

たとえば「面白い話があるんですよ」と言って面白い話をしてはいけないということは知られていますよね。それと同じように、これは「○○の話」と言うよりも、これなんのお話？　どこにいくんだろう？　と迷路に引き寄せた方が聞く方も楽しいんだよね。だからバイクの話から始めて、自分なりの正解を見つけたという順序の方がいい気がする。こだわりの強い趣味の話をされた経験は、けっこうあるからね。

中山さんはね、大学で研究をしていると言ってたじゃない。論文では結論から言うことになっているけど、こういうトークの場合、最初に結論はいらないと僕は思います。

中山● ああ、たしかにそうですね。結論を最初に言いたくなっちゃう。

青銅● そうそう。頭のいい人はそういう喋り方をしがちだと思います。あと悪口はよかったね。「米食べればいいじゃん！」とか。もっと聞きたいなと思いましたね。あとバイクが「三秒で百キロ出る」っていう具体性もよかった。ここももっと聞きたい。あとは、古着へのこだわりも、もっと聞きたかった。聞き手がちょっとうんざりするくらい喋った方がいい。中山さんは話をまとめすぎているなと思いました。もっとグダグダ話しましょう。

古着の魅力についてもう少し教えてください。

中山● その年代の生地の雰囲気がよかったり、ただの白シャツでも雰囲気が違うし、色の落ち方も違うんです。

青銅● いいですね。ここまで話すと、「三秒で百キロ出る」バイクの話と同じくらいの、「どうだっていいよ」のレベルになってくるような気がします。もっと話してもいい。やっぱり要約してそぎ落としすぎちゃったかな。

中山● そうですよね。実際に話すと、最後ちょっと急いじゃいました。

青銅● そうでしょうね。話していると不安になる。最後に急いでしまうのは反応がなくて寂しいから。芸人さんでもそうでしょう？

斉藤● そうです。走っちゃいます。

青銅● プロでも走っちゃうのよ。それを避けるために、聞き手のリアクションを使うのは一手ですね。実際に「三秒で百メートル」「どこで使うんだよ」で、聞き手が、「ふふっ」と笑って反応していましたよね。そういう時に「そう思うじゃないですか？」と足してみる。それをすると、あんまり急がなくても大丈夫になる。

あと今回の中山さんには、自分が正解だと思っていたけれど、しっぺ返しをくらうという、古典的な展開をやってもらいました。前にお話しした三浦さんが、オチがなくても終わるパターンだったので、今度はオチをつけたパターンにしてもらった。でも今のお話だと「いやぁ、人間関係って難しいよね」くらいのオチでも本来はいいと思います。

［実演③ ジャガモンド斉藤正伸さんの場合］

斉藤● こんだけアドバイスを聞いたあとに、やりづらっ！（笑）。

青銅● しかもプロですからね。みなさん、この方はジャガモンドさんっていうんですよ。

斉藤● ジャガモンドというお笑いコンビを組んでいます。芸歴九年目なんですけど、僕、元々、実は違う夢があって、芸人がやりたかったわけじゃない。

青銅● そんなこと言っていいの？（笑）。

斉藤● ははは。これは話を最後まで聞いてくだされば。僕は元々、めちゃくちゃ映画が好きで、三歳の時に親父が買ってきてくれた映画のＶＨＳを見て、映画が大好きになったんですよ。その買ってきてくれた映画が『スピード』っていう、知ってます？キアヌ・リーブスっていう俳優さんが出てらっしゃる、バスに爆弾を仕掛けられちゃうアクション映画なんですね。刑事ががんばってバスの爆弾をどうにか解除しようとするアクション映画を見て、めちゃくちゃハマって。

で、僕、幼稚園の年少さんの時に、ジャングルジムをバスに見立てて、ここに爆弾が仕掛けられてるとしたら、みたいな感じで『スピード』ごっこをしよう、ってみんなに言ったんですね。なんですけれども、もちろん誰も『スピード』なんて見てなくて。みんな、やっぱり戦隊物とか仮面ライダーとか、セーラームーンだとか、そういう時代なんで、誰もついてこなかったんですよ。

こんな感じで、映画はずっと好きで。そこから『スピード』もそうだし、ちょっと歳を重ねたら、黒澤明の映画とか、寅さんとか、とにかくいろんな名作をむさぼるように見ていきました。

気づいたら、やっぱり、これを撮る人になりたいなと。映画監督になりたいなって思ったんですね。

そんな夢があったんですけど、ずっと小一から幼なじみだった、今の相方になってる友達がいて。城戸っていうんですけど。そいつと、学生でお笑いやってみようかと。それは別に芸人を目指すわけではなく、ちょっと遊びでやってみようかという気持ちでした。まあ部活ですよね。で、学生芸人を始めたんですよ。始めてみたら、けっこう本気になって、けっこういいところまで、結果も出てきました。だけど自分の中では、映画監督になりたい。だから学生いっぱいは芸人をやって、大学四年生でコンビを解散することにしました。相方も教育学部に入ってたんで教員免許を取っていたし、学校の先生になると。じゃあ俺は映画監督になるから、お互い、それぞれの道でがんばろうなって言って、固い握手を交わして、解散したんです。

僕は卒業して、CMの制作会社に入りました。映画監督になるために、まずはとりあえず映像業界に入ろうと思って。プロデューサーのアシスタントをする、APというんですけど、現場のお手伝いを、まぁ雑用するような仕事に就いたんです。

で、一年目で、CMの制作会社なので、もちろんCMを撮りますよね。その時は、お弁当のCMで、お米を扱うCMだったんですね。「金芽米」というのがありまして。普通、米って白いじゃないですか。金芽米って特別な精米方法をしているので、炊くとご飯がちょっとキラキラ光る、光ってるように見える。しかもなんか食物繊維が多めで、健康にいいらしい。この金芽米を弁当に使っていることが売りのCMだったんですよ。で、CMをいざ撮りましょうってなって。みなさんご存じの俳優さんがそのCMに出ると。我々が炊いたご飯を食べて、なんか一言言うみたいな。そのワンカットを撮りましょうみたいな撮影現場になって。僕は彼女の横にひざまずいて、ずっとビニール手袋みたいなのをしながら、監督から指示をトランシーバーで受けて。「もうちょっとツヤ出してください、金芽米」って言われると、霧吹きで水を吹いて、ちょっとテカテカさせる。「左角がちょっと尖ってるんで、もうちょっと丸くしてください」「もっと金芽米らしく！」みたいなのを、「はい」って言いながら、ずっと一生懸命、米とずっと格闘していた。

その時に、ああ、この仕事辞めようって思ったんですよ。嫌だな。なにやってんだろうって。

その俳優さんが食べる米を丸める仕事が、どう考えても映画監督に結びつかなくて。ちょっと裏方は向いてないなと思って、スパンと辞めて、その後、相方呼び出して、じゃあ再結成しようっていうことで、今、ジャガモンドというコンビで活躍…活躍はしてないんですけれども、なんとか九年間やっています。

未だにちょっとその俳優さんと金芽米は、ちょっと直視できないっていう、そんな話です。ありがとうございました。（拍手）

［講評］

青銅●さすがプロだね。いけるんじゃない、このトークで。

斉藤●大丈夫ですか？　いけますかね。

青銅●ちょっとだけ直すとしたら、『スピード』の説明をもう少しした方がいいと思うんだよね。スピードを落とすと爆発するよっていう、その仕掛けぐらいは、たぶん言った方がいい。要するに、もう世代的にわかんない人もいっぱいいるから。あと黒澤明とかもあの辺も短くてよかったかな。でもやっぱり、早く金芽米にいきたくなったね。いま聞くとね。あそこ、面白いから。

斉藤●そうですね。たしかに。『スピード』から飛んじゃった方がいいですかね。

青銅●うん。その後もずっといろんな映画を見てて、なりたかったっていうぐらいで終わらせちゃった方がよかったかもしれないですね。それぐらいでしょうか。

斉藤●ありがとうございます。

青銅●まあ、アドバイスとしては、さっき言ったもんね。自分の話をした方がいいよっていう。でも面白くなったんじゃないですか。

斉藤●ほんとですか。いや、初めてです。こんな、自分の話するの、あんまりないんで。ありがたい。

青銅●あと「金芽米」って言葉が面白いよね。心の底でみんな、「金芽米って、なんだよ」って思っているじゃない。「すごい宣伝しているけど、米は米だろう」って。面白い話だと思いましたよ。

「フリートーカー・ジャック！風トークレッスン」を終えて

三浦● 自分で喋ったのもそうですし、他のお二人が喋ったものに対する藤井さんの講評を聞いていると、自分の中で「一人喋り」への気負いがあったんだなと思いました。
　たとえば、話している途中に、「そうでしょ？」と、もっと周りを巻き込んでいってもいいし。共感してもらえる話題を選べばいい。少し緊張せずに喋る方法が自分の中で見えましたね。

青銅● よかった。ちょっとでも役に立ってもらえたようなら嬉しいです。三浦さんのような柔らかい雰囲気の方は、ちょっとキツい悪口を言ってもギャップで面白くなると思いますよ。これは武器だと思います。

中山● 僕は、話の構成の仕方をすごく教えてもらったなと思いました。完全に真似をした形になったんですけど、構成が見えると、ディテールの部分、足していき方が見えてきた気がします。
　あと僕は今まで同世代の友達だとか、気心が知れていて、共感してもらいやすい人たちと話すことが多くて、こういう場だとちゃんと説明したり、具体的にエピソードを言うことがすごく大切なんだなと思いました。

青銅● そうですね。同世代だとざっくり言って伝わることも、世代が違うとわからないから説明しないといけない。中山さんは構成が頭にしっかり入るタイプだと思います。構成がしっかりしていると、遊びでいろいろ入れても大丈夫なので、話をまとめすぎず、もっとダラダラ話してみるといいんじゃないかな。

斉藤● 僕は、まず金芽米が面白いんだというのに気づきました。自分の中で当たり前で気づけなかったんですが、人からすると面白いと思ってもらえるワードなんだなと。こういう場がないと気づけなかったと思います。

僕は仕事柄、いわゆる「じゃない方芸人」で、見た目の個性の強い相方がいるタイプです。コンビでライブをしていても、相方を前に出そう、僕はツッコミをしようと思っている。そうなると自分の話をする場所もタイミングもほとんどありませんでした。だから最初、「斉藤さんの話をして」と言われた時には、すごく戸惑ったんですけど、結果としてすごくいい経験になった。自分の話をしていいんだって、自信も希望もわきました。この企画、毎月やってほしいですよ。

青銅● コンビだとどうしてもそうなっちゃうよね。相方の方を立てる。あとは斉藤さんの場合は映画の話をする。相方か映画の話ばかりになって、自分の話をする場所がない。

斉藤● そうですね。相方や映画のことはメモしているんですけど、自分の話ってメモしたことなかった。

青銅● まずは斉藤さんを知ってもらわなきゃね。芸人さんとして、プロじゃない人と一緒に話すことには抵抗がありました？

斉藤● 思っていたらここに居ません。まったくそんなことないです。

青銅● 逆にプレッシャーがあったかもしれませんね。絶対に二人より面白くないと！　って。

斉藤● 芸人はうまく喋れてしまう分、テクニックでごまかせてしまう面もあると思うんですよ。でもお二人のありのままのお話を聞いて、それに対する藤井さんのアドバイスを聞けて、より勉強になった気がしますね。等身大のお話で聞きやすかった。

青銅● そうだね。歯の矯正も三浦さんが今まさに体験していることだし、中山さんの趣味の話も若い人ならではの年上の先輩との面倒な関係がわかる。その人から出てくる話ですよね。芸人さんって、どうしても自分じゃない話とかしちゃうんですよ。

斉藤● しちゃいますね。トークの時にかまえてしまうこともあって、ファイトスタイルをとっちゃうというか。自分でも嫌ですよね。

青銅● 斉藤さんは芸人の中でも、流暢に喋れるタイプですよね。活舌《かつぜつ》もいい。

喋るお仕事をしていない三浦さんと中山さんは、もしかしたらこう喋らないといけないの？　と思ったかもしれないけど、僕は流暢に喋れる必要はないと思うんですよ。「あのー、えーと、なんだっけな」って入れてもいいと思うの。途中で止まってもいいと思うし、僕自身もそうだし、言い淀んだりしてもいいし。
それに上手な人は、上手に喋ることが面白いトークだと思ってしまう危険性があるんです。でもそれって別物なんですよ。斉藤さんは違うけれど、流暢に喋れるだけで面白くない人っている。だから流暢な人は危険なんですよね。自分で喋れると思っているけれど、それは淀みなく口から言葉が出るだけの話で、人が興味を持っているかどうかはまた別問題。逆にいえば、淀みなく言葉は出なくても人は聞いてくれるので、別にいいんですよ。
斉藤● その通りだと思います。僕はよく「喋りがうまいね」と言っていただくこともあるのですが、たぶん面白いとは別なんですよね。
青銅● あと芸人さんは本当じゃない話もするしね。漫才のネタでも「彼女がいない」とか「本当は歌手になりたい」とか言うけど、ああいうのはネタのためのトークであってね、本当に思っている話じゃない。金芽米だよ、やっぱりこれからは。「金芽米・斉藤」だよ。斉藤さんはもっと自分の話をした方がいいよ。
斉藤● 金芽米・斉藤（笑）。でもライブとかどこかで喋りたいなと思いましたね。

◇まとめ――自分の中から出てきた話をする

――いかがでしたか。

青銅● みなさんたいしたものでしたね。普通ね、人前で喋れないよ。ジャガモンドの斉藤さんも、やっぱりプロでうまかったですね。

――一人目にお話しされていた三浦さんに「オチはいらない」「途中が面白ければいいというアドバイスをされていたのが印象的でした。

青銅● やっぱり「オチがないといけない」とみんな思っていますよね。でもオチにとらわれて最後どうしようか悩むのはあまり意味がない気がします。なんとなく区切りがつけばいいいんじゃないか。

「今は治療が終わって、痛くなくなって、芸人さんの脳内ツッコミがなくなって寂しい」で終わりでいいんです。感情で終わってもいいし、出来事がそこでいちおう終わったのでも全然いい。コンマが打てればいいんですよね。

――お二人目にお話しされた中山さんのトークはいかがでしょうか。

青銅● 中山さんは訥々《とつとつ》と喋るタイプで、あれもいいんですよね。こっちから身を乗り出して聞いてしまうので、お得なんですよね。別にマイナスじゃないんです。喋りは朴訥《ぼくとつ》としていていい。噛んだって別にいいんだよと思っている。素人はよく「噛んだ！」とか言うけど、そんなのはどうだっていい。

あと中山さんは、自分が勘違いした話にしちゃったけど、他にも話があると思いました。もう少し時間があればなぁ。たとえば大学院の話でも、趣味の話でも、それこそ古着の話を掘り下げてもよかった。僕のやり方だと、まずは聞くから時間が必要なんですよ。

——面白いところが出てくるのに準備したところをはがさないといけない。

青銅● そう。はがさなきゃいけない。でも準備した話は拒否できないから、一回聞かないと。でもここで時間切れしちゃった印象があるな。時間は三十分くらいは欲しいな。やってみて思いました。

——ジャガモンド斉藤さんに対して、「自分の話をした方がいい」と言うところも印象的でした。まさに『だが、情熱はある』みたいでした。オードリーの若林さんに「君の話面白いよ」と伝えるシーンのような。

青銅● やっぱり、ああいうタイプってそうだと思うんですよね。自分は芸人として目立つところがないと思っている。だから相方の話をする。映画も結局は人の話でしょう。でもそんなことないんだよね。

本当はみんな自分の話がしたくて芸人になったと思うんですよ。本当はそうなんだけど、長年やっているうちに「俺の話には需要がないんだ」ってどこかで思ってしまう。客前に出ると、相方は体も大きいから目立つしね。そして周りの芸人さんにも、相方を立てろと言われるのだと思う。でもね、売れるためには両方が立たないといけないから。『フリートーカー・ジャック！』をやっていた時期は、芸人さんが一人で喋るような場所は、ラジオくらいしかありませんでした。でも今はもうYouTubeもPodcastもある。別にラジオ番組に呼ばれなくたって、喋れるんですよ。一人でもできるし。でも舞台の漫才やコントの延長でYouTubeをやっていると、うまく伝わらない感じがするな。

やっぱり斉藤さんは流暢に喋れるからこそ、気持ちが乗っからなくても上手に喋れてしまうことがある。でもそれって上滑りする危険性もあるんです。用意している相方さんのお話よりも、もちろん相方さんにも熱量があるんでしょうけど、ＡＰさんのお話の方が熱が入ってたように思いますね。

――話すことは上手になればなるほど、同時に難しさもあるんだなと思いましたね。

青銅● そうだと思います。テクニックだけでごまかせてしまえるんです。文章も一緒だと思いますよ。東京作家大学というカルチャースクールで講師として文章について教えてますけど、「うまくなったらテクニックだけで書けてしまうからよくない」と何度も言ってます。魂がこもっていなくても書けてしまう。上手にコラムを書いてるというだけで、仕事でやってる感じの文章は意味ないよなっていう気がして。喋りも、たぶん同じだと思うんですね。上手にこなしているだけだと、結局、伝わらないんだろうなっていう気がするなあ。

——難しいですよね。世の中から求められてお金になるのは、魂がこもっているかどうかではなく上手にこなせることだったりしますから。

青銅●そう。そうなのよ。とくに芸人さんの斉藤さんの場合、斉藤さん自身のお話によってどういう仕事につながるかわからない。だけど、この場で僕は聞きたいんだっていうことですよね。でもこれまでに僕が書いている本だって、全然売れないけれど、書きたいから書いているしね。自分では面白いと思っている。

そういう需要があるか、仕事があるかどうか、というのは別の話なんですよ。でも自分の話はしてもいいと思いますね。自慢にならなければ、人には聞いてもらえると思う。オチなんかなくても、エピソードじゃなくても、「こんなこと最近気づきました」みたいな話でもね。

今回は実際に、三人とも自分の中から出てきた話をしてもらったと思います。その結果、いろんな人が聞いていて共感できる話になった。僕は歯の矯正をしたことがないし、バイク好きの人に絡まれたこともないし、金芽米のＣＭをやったこともない。でも似たようなことは誰にだってある。悪態をつきたいのにつけない、ウザい先輩の相手をしないといけない、「俺、なにやっているんだ」って感じてしまう。

今回のお三方に僕のアドバイスが役に立ったかはわかりませんが、少なくとも僕は面白いお話を聞かせてもらったなと思っています。（終）

第5章

トークの「語り口」

アナウンサーの向き不向き

なにを喋るかという「切り口」を見つけることができれば、それを語ればいい。では次は、どう喋ればいいのかというトークの「語り口」です。

ここまでのところ、私は何度か「アナウンサーのように上手に喋る必要はありません」と書いています。誤解をされると困るのですが、私はアナウンサーの喋りが駄目だと言っているわけではありません。いえ、それどころか、仕事柄、近くで何人ものアナウンサーの喋りを聞いてきて、プロのスキルのすごさはよく知っています。

男性も女性も、みんな声はハッキリ通るし、活舌もいい。アクセントも正しい。喋るテンポも乱れない。明るく、落ち着いています。多くの方が学生の頃からアナウンス教室に通って訓練し、矯正され、放送局キー局の場合、おそらく何百倍もの倍率をくぐり抜けて採用されたのです。さらに局内では先輩アナウンサーからの研修を受けてきた、まぎれもない正統派です。

しかし、この正統派が必ずしもプラスに働かないのが、トークの喋りなのです。

アナウンサーの基本はニュース原稿やお知らせを読むことだと思いますが、その次にナレーションという仕事があります。単純な情報ＶＴＲのナレーションならいいのですが、ドキュメンタリーやドラマのナレーションとなると、向き不向きが出てきます。こういった番組のナレーションは、なんらかの感情を込めて原稿を読んでもらいたいのです。すこし芝居心が必要。ところがこれが苦手な方がいます。

というのは、アナウンサーとしての教育、訓練は感情を出さないことだから。どんなニュース原稿も、冷静に、感情を出さず、間違って伝わらないように、聞き取りやすいように喋る…という身についたスキルが、かえって邪魔をしてしまうのでしょう。きれいに読めば読むほど言葉は上滑りして、どこかよそよそしくなります。といってわざと下手に読んでみても、変です。ちゃんとできる人が、あえてちゃんとしないというのが一番難しいのです。

ドキュメンタリーの場合、題材にもよりますが、俳優さんや、あるいは芸人さん、歌手のナレーションの方がいいケースも多い。活舌は悪くても、美声でなくても、味のあるナレーションになります。「味」とはなんだ？　と言われるとちょっと説明に困るのですが、ナレーションはその「映像の外から」喋るものと、「映像の中に一緒に入って」喋るものとがあって、後者は冷静でない方がいい。そこが独特の味になるのではないかと思っています。

とはいえ、そういったナレーションのうまい俳優さんや芸人さんや歌手がニュース原稿を読んでもおそらく棒読み、あるいはぐずぐずで、情報がなにも伝わらないでしょう。適材適所。職業的にも、個人的にも、向き不向きがあるということ。

これは声優さんにもいえます。アニメ声と呼ばれる女性の可愛い声や、男性のイケボは作りモノめいて、ナレーションには不向きな場合があります。

ましてや、用意された原稿やセリフを読むわけではないフリートークだと、なおさらです。アナウンサーの端正な喋りは、ニュースを伝えるために自分を無個性にするということ。声優さんの作り込んだ喋りはアニメキャラや洋画の俳優になるために、自分の個性を消すということ。どちらも、自分の個性と感情を伝えるトークとは反対の方向だからでしょう。

私たち普通の人間には、とてもアナウンサーのような喋りはできません。なに、できなくてもいいのです。トークは自分の思いを伝えやすい喋り方でいいのですから——という意味で、「アナウンサーのように上手に喋る必要はありません」と言っているのです。

トークはあなたがふだん使っている言葉で、ふだんの喋り方でいい。たとえば、正統派の喋りとは対極にある方言や訛《なま》りが多少まざっていたっていいのです。

訛ってもいい

かつて、デビュー直後から松田聖子さんのラジオ番組を担当していました。『松田聖子・夢で逢えたら』（ニッポン放送）。彼女は福岡県・久留米出身で、時々ことばの中に久留米弁のイントネーションが混ざることがあります。それがとても可愛いのですが、ご本人は照れて、恥ずかしがっていました。

今でこそ方言女子なんて呼び名がありますが、80年代前半の若いアイドルの女の子としては、やっぱりあまり訛りは出したくなかったのでしょう。とはいえ、第2章で触れたように、自分のラジオ番組を持っているアイドルです。彼女のラジオパーソナリティーとしてのトーク力は抜群でした。自分を飾らずにトークができるのです。

その頃、彼女が街のケーキ屋さんでプリンを買ったというトークをしたことがあります。

「そのプリンください」

と言ったところ、声が小さかったのか、早口だったのか、店員さんに伝わらない。そこで彼女はスタジオで何度も口に出し、

「私、訛ってます？　プリン↙？　プリン↗？　プリン？　あぁん、わからなくなってきた！」

という話でした。プリンなんて言葉に久留米弁があるのかどうか知りません。きっとたまたま店員さんが聞き取れなかっただけでしょう。当時すでに聖子さんはただのアイドルではなく、ヒット曲を連発して、スーパーアイドルになっていました。そんな彼女が、プ

リンという言葉が訛っていたのかもしれないとオロオロしたトークがとても可愛かったので、よく憶えています。

それから三十年後、またもや聖子さんの番組を担当した時、私はそのプリンの話を彼女にしました。

「私、そんな話しました？　全然憶えていない」

当然です。そんな昔の小さなエピソード、憶えているはずがありません。

おそらく私の記憶に残ったのは、可愛かったからだけではありません。アイドルとしてきれいにまとめたトークではなく、チラッと訛りが出るほど自分らしく喋ったからなのでしょう。

ナチュラルに出てくる訛りとか方言は、人間味があります。だからなのか、あえて方言や訛りを売りにした「方言タレント」と呼ばれる方々がいます。しかし、最初は無意識に出てくる方言が人気だったのが、だんだん過剰に方言を強調するようになるケースもあります。望まれる方向に進んでいくといつの間にかそうなってしまうのでしょう。

するとと結局キャラ化して、逆に人間性を消すことになってしまいます。なにごとも作為が過ぎるとよくないのです。

…ところまで書いて、

「ああ、そうか」
といま合点がいったことがあります。

夏の我慢大会

以前、伊集院光さんが新人の頃、事前にトーク候補の内容を雑談っぽく聞いていていたということを書きました。毎週聞いていたけど、ほとんど忘れたと。

第2章にあった「歯医者に行った話」の他に、もう一つだけ憶えている話がありました。彼が夏に、たしか友人と我慢大会をしたというトークです。

「毎日あまりに暑いので、家で我慢大会をしましてね」

部屋を閉め切って炬燵《こたつ》を出したり、ストーブを出したりしたという。

「雰囲気を出すため、暑い部屋の中でビデオデッキで、借りてきた『アラビアのロレンス』を流してたら、あまりの暑さにビデオデッキが壊れまして」

というような内容だったと思います。私は笑いました。『アラビアのロレンス』を出してくるところに素晴らしいセンスを感じます。が、

「話は面白いと思うけど、なんかトークのために我慢大会をやった感じがして、わざとらしくないかなあ」

なんて感想を言ったのを憶えています。

毎週のフリートークのネタ作りのために彼は頑張っていたのに、冷たいことを言ってしまったなあと、あとで思ったものです。

「あれはきっと、作為が過ぎると感じたからなんだ」

といま合点がいきました。

とはいえ、こうしてあらためて書いてみると、別にそれくらいよかったんじゃないかとは思います。「最初はネタのために始めたけど、だんだんノッてきてしまった」とか、「友人の我慢大会につきあわされた」とか、少し言葉を足せばよかっただけではないか、と。

当時の私はそういうアドバイスをする能力がなかったのでしょう。

ラジオから学ぶ①　あなたに喋る

トークというのは何百人もの大観衆の前で、壇上で披露するものではありません。有名な芸人や歌手の場合はステージでそういうトークをする場合もあるでしょうが、私たち普通の人間の場合、そういうことはありません。せいぜい数人の前で、しかもステージがあるわけでもなく、同じテーブルについていたりします。

「演者」と「観客」という立場の違いがあるわけでもありません。多くは雑談の中で、それぞれが演者になったり観客になったりしながら。しかも一方的に喋るのではなく、途中でやりとりがあったり、脱線もします。

そこらへんが「スピーチ」とか「プレゼン」「交渉術」などと違うところです。ここまで何度か書いてきましたが、私たちの日常でのトークには、ラジオのトークが一番参考になるのではないかと思っています。

私が放送作家になって最初にプロデューサーに教えられたのは、

「ラジオに『みなさん』はないから」

ということでした。

「『みなさんお元気ですか？』とか『みなさんはどう思いますか？』とかいうセリフがある。テレビはお茶の間で家族で見ているけど、ラジオはだいたい部屋で一人で聞いている。呼びかける場合は『みなさん』ではなく『あなた』なんだ」

なるほど、たしかにそうだ！　と深く納得しました。当時、テレビはまだ一人一台の時代ではありませんでした。その後、一人一台になりました。さらに現代ではテレビは見ずに、一人一人が小さなスマホで動画を見るようになりました。

しかし、YouTubeなど、チャンネル登録者が百万人いようとも、見ている時はたいてい一人です。百万人のカタマリの「みなさん」というものが存在するのではなく、「あなた」という一人一人が集まって百万人いる、と考えた方がいいのでしょう。人数が何人いようと、語りかける相手は常に「あなた」なのです。

とはいえ、日本人は直接目の前の相手に向かって「あなた」と呼びかけるのが苦手です。言う方は照れてしまうし、言われる方は圧が強いと感じます。だから、心情的には一人の「あなた」に向かって喋るけど、言葉としては「あなた」と言ったり「みなさん」と言ったりする…というやり方で、私は番組を作ってきました。

ラジオ番組はこぢんまりとした所帯なので、ふだんスタジオにいるのは全員合わせても四、五人程度。多くても十人以内でしょう。そこがテレビと違います。広さもちょっと大きめのリビング、あるいはちょっと小さめの会議室程度。

ですからパーソナリティーは、そこにいる四、五人＋ラジオの前にいる一人に聞いてもらうようにトークしているのです。そういう場にふさわしい声の出し方、口調、話題を選びます。

ファッションは、カメラに映るわけではないのでふだん着。女性の場合はテレビ用のメイクをしなくてもいい。それどころか、顔も映らない。すると人はリラックスして、ごく自然に飾らないトークになる。ラジオ特有のフレンドリーな雰囲気、ホンネの喋りは、そういった環境から自然に生まれます。

これは、私たちが仲間を相手にトークをする時の人数、場所、状況に似ていると思いませんか？　その喋り方の真似をすればいいのです。

ラジオから学ぶ②　言葉のチョイス

最近はテレビもラジオもWeb上に番組ページを持っています。SNSのアカウントも持っています。ラジオには映像がないという大きなハンデがあるのですが、Webページによってそれが解消されます。たとえば、なにか番組オリジナルグッズを作ったとします。Tシャツだとしましょう。たまに、こんな風に紹介するパーソナリティーがいます。

「とっても素敵なTシャツですよ。色は赤です。胸のところに番組のロゴがプリントされています。写真を載せているので、詳しくは番組のページを見てください」

たしかにこう言えば簡単なのですが、ラジオのパーソナリティーとしてはあまりよくない、と私は思っています。耳だけで聞いている人のために、どれだけ言葉で説明できるかが、その人のスキルですから。

「Tシャツです。素材は綿100%。最近のTシャツは薄くてペラッとしてるのが多いけど、これは昔風のやや厚手。最初はちょっとゴワゴワしてると感じるかもしれませんが、着てるうちになじんできて、洗濯を繰り返すとさらに風合いが増してくるタイプですね。

触ってみると懐かしい感じがします。

色は赤。赤といってもいろいろありますが、あえて派手な赤にしました。派手だけど下品な赤じゃない…そうコカ・コーラの赤っぽい感じです。ここらへんも昔風のTシャツ感をかもし出してます。

胸に番組ロゴがプリントされてます。ご安心ください。真ん中にバーンと大きく…ではないです。左胸のあたりにやや遠慮がちに、直径十センチくらいですかね。遠慮がちとは言えないか。遠慮と図々しさの中間ぐらいの存在感で、白抜きです。いよいよコカ・コーラっぽくなってしまいました」

などと言うのでしょう。

とはいえ、くどくどと説明を続けていると、丁寧ではありますが、聞いていて煩わしい。短い言葉で、いかに的確に伝えるかということが大事。「詳しくは番組のページを見てください」を続けていると、喋り手の言葉の能力がどんどん痩せていくんじゃないかなあ、と思っています。

そういえば今から十年ほど前、SNSが流行りだした頃、私も若者の真似をして始めました。当時Twitter（現在のX）は、百四十文字が限度でした。街で面白いモノやヘンテコな光景を見つけた時、その短い枠内でどうやってうまく伝えるか、頭の中で文章をあれこれと考え、推敲しました。

たとえば、このTシャツの場合、「番組グッズのTシャツをもらった。厚手の生地で、昔風のデザイン。色は赤。私は懐かしいと思うけど、若い世代は新しいと思うんだろう。時代は巡るとはこういうことか」…と考え、いや、「番組グッズのTシャツをもらった。色は赤。下品な赤ではなく、渋い赤でもない。明るい健康的な赤というか、なんか70年代的な赤」…の方が伝わるかもしれないと修正し、そうじゃなく、「番組グッズのTシャツをもらった。明るい健康的な赤に、胸に白抜きの番組ロゴ。なんか70年代のコカ・コーラっぽい」…の方がいいかも、などと頭の中でぐるぐる考えたあげく、

「あ！　そんなことしないで写真でUPすればいいんだ！」

とようやく気がつきました。このへんが、しょせんオジサンがやってるSNS。百聞は一見にしかず、なのに。

しかし気がついたと同時に、

「いや、私は作家なんだから、写真を上げればすむものでも、短い枠内でパッと伝わる文章で表現できるよう、これからもチャレンジしていこう」

と思いました。目では見えないラジオとか、文字数制限とか、なにかの縛りがあった方

が文章の訓練になります。人はラジオから学べるし、ＳＮＳからも学べる。

とはいえ、それは送り手側のこだわりであって、受け手側はそんなこと関係ない。パッとわかる写真の方がいい。だからＳＮＳはInstagramやTikTokに流れていくわけですから。

今では私も、面倒だからさっさと写真でＵＰしてたりします。人は楽チンな方に流れるということも、ラジオから学べるし、ＳＮＳからも学べる。

ラジオから学ぶ③　臨場感と熱量

Ｔシャツや花束やスイーツといったモノならば、写真もいいでしょう。が、写真でも伝えられないものがあります。Ｔシャツの手触りや、花の香り、スイーツの味は喋って伝えるしかありません。そこがラジオのパーソナリティーの腕の見せどころ。いえ、舌の聞かせどころ。的確な言葉を選び、比喩とかたとえを駆使して表現します。

さらに、モノではなく感情となると、そもそも写真に写せません。たとえば、ちょっと不安で不気味な体験の話をする場合、

「案内されて行ったのはビルの地下。階段が薄暗くていやな感じ。でも降りてみると、蛍光灯が明るい。いや、むしろ異様に明るすぎて、無人の廊下がドーンと長く十メートルぐ

らい続いて両側に規則正しくドアが並んでいるのが、逆に不気味な雰囲気。ホラー映画みたいで……」

こういうのは、自分の主観をまじえた言葉で語るから伝わるのです。すると、聞いている人もその場にいて、一緒に現場を見ているように感じます。トークというのは言葉で絵を描くこと。いかに臨場感を伝えるか。このへんも、絵をもたないメディアであるラジオから学ぶことができそうです。

とはいえ、どう上手に喋っても100%伝わることはありません。けれど、なんとか伝えたいと思って喋ってる熱量は伝わります。

ラジオから学ぶ④　電話しているつもりで

これは最近ですが、ある芸人コンビがラジオでパーソナリティーを始めるにあたって私にやり方を聞きにきたことがあります。教えるなんて偉そうです。私はとりあえず、この本でこれまで述べてきたように、自分の話をした方がいいとか、オチをあんまり気にしなくていい…などとアドバイスしました。

「電話に似てると思うんですよね」

と私は言いました。

「電話？」

「最近のスマホはテレビ電話機能があるけど、やっぱり面倒だから電話でしょ。電話って言葉だけだから、なかなか伝わらないこともある。とくにビジュアル。伝わらないから一生懸命伝えようとする。言葉を選び、表現を工夫して、なんとか描写して、伝えようとする。たとえ完璧に伝わらなくても、最低限、なんとか伝えようとする意思というか熱意のようなものは伝わる。ラジオでトークするっていうのも、それに似てるんじゃないかな」

と言いました。

電話の喋りも、ラジオのトークも、日常でのトークも、要は言葉だけで状況や自分の心情を伝えようとするのだから、基本は同じだと思うのです。

言葉は便利だけど、一方で不自由でもあります。たとえば、ある時の自分の気持ちを「寂しい」と言ってみたけれど、どうもしっくりこないことがあります。この感情は「せつない」かもしれないし、「心細い」かも、あるいは「情けない」かもしれない。どの言葉を選んでも違うような気がする。しいていえば「寂しい60％・せつない20％・心細い10％・情けない８％・言葉にできないなにか２％」かもしれない。そうやって詳しく言えば言うほど、逆に伝わりにくくなってしまうし。

私のアドバイスを聞いていた芸人コンビは、自分のスマホを手にしながら、

「そうですね。…今度、電話してみよ」

と答えました。

「え?」

と私。

「今度? ふだんは電話しないの?」

「ええ。LINEとかメールばっかりですから。前に電話したのはいつだったかなあ……」

そうかあ、最近の若者は電話しないんだよなあ…と私は愕然《がくぜん》としました。しかも、LINEだと「りょ」とか「もち」とかの短文とも呼べない言葉、いやその断片。さらにはスタンプだったりもする。言葉だけでなにかを伝えようとする練習にはならないよなあ、と思ったものです。

ラジオから学ぶ⑤ メリハリモリ

いきなり訂正します。100%どころか、120%伝わってしまうことも、まれにあります。

ラジオで映画の内容を熱く紹介する方がいます。語彙《ごい》が豊富で描写力もあるので、聞いていて大変面白い。すごく期待して実際に映画を見てみると、「あれ? もっと面白い気がしてたんだが」というケースがあります。

ラジオの野球中継もそうです。うまいアナウンサーの実況を聞いていると、まれにみる熱戦のように思い、手に汗握ります。が、あとで映像で見るとそれほどでもないことがあります。

自分の感動を伝えたい、あるいは聞いている人に楽しんでもらいたいと思って「盛って」いるのでしょう。

トークでもそういうことがあります。とくに芸人さんのトークだと、実際には五万円だったのに「十万円ぼったくられた」と言ったり、実際にはたいして怖くなかったのに「恐怖でビビった」と言ってみたり。

さっきのビルの地下も、実際にはそれほど不気味に感じたのではなく、ちょっと嫌だなと思った程度かもしれません。蛍光灯も、ただ明るいだけだったのかも。しかし、「蛍光灯が明るい。いや、むしろ異様に明るすぎて……」なんて言うと、不気味感が増します。

人間が持つ想像力というのはすごいもので、言葉からイメージできる最大限のものを脳内で再現します。だから、実際に見てみると「あれ？　こんなもの？」と思うことは多々あります。

嘘をついているわけではありません。トークは自分の身に起きたこと、自分が感じたこと、思ったことを語ります。そして、聞いている相手に楽しんでもらいたい。だから私は「盛る」のはアリだと思っています。「0→1はダメだが、1→5はいい」。盛るのも程度の問題で、1→10だと、さすがにどうかとは思いますが……。

なにごともメリハリが大事だといいます。漢字では「減り張り」と書くようです。緩めることと張ること。抑揚、強弱でもあります。トークにおいても、もちろんそう。それに盛ることも加えた「メリハリモリ」が大事なのではないか？

トークが上手な人は、聞き手の想像力をかきたてるような言葉のチョイス、表現のしかた、そしてメリハリモリがうまいのです。

トークの構成～膨らませる

喋りたいことはある。けれどほんのちょっとした内容なので、すぐ終わってしまう。膨らませるにはどうすればいいか？……というケースがあります。たしかに、私たちの日常でも、話し始めたものの自分でも思っている以上にトークがすぐ終わってしまい、「それだけ？」と言われたりします。そういう周囲の反応がくることを思うと、ちょっとした出来事が話しにくくなります。

べつに「三分以上のものをトークと呼ぶ」なんて長さのルールがあるわけではありませ

ん。短くたっていいのです。

けれどラジオ番組の場合は、ある程度の長さは喋ってもらいたい。そこで、小さなトークの種を膨らませるために、私は番組の作家としてパーソナリティーにいくつか質問したり、提案することがあります。

【その理由】

話そうとする内容は、いきなりそれだけがポコッと存在するわけではありません。そこに至る理由と経緯があるはず。が、自分の中では理由はわかりきったことだし、話したいのはそこではないので、つい省いてしまうのです。でもこっちはそれを知らない。ということは、聞いている人も知らない。

「なんでそこに行くことになったんですか?」「どうしてその人と一緒に?」「それに決める前はいろいろ悩んだんですか?」

なんて聞くと、意外に理由が面白かったりします。

「なんで、そんな怪しい地下に行ったんですか?」

「いいマッサージ師がいると紹介されて」

「肩がこるんですか?」

「腰。いろいろ通ってたんだけど、どうもよくならない。そしたら知り合いが『いいマッサージ師がいる。大企業の社長とかを診てる人で、看板は出してないけど、私の紹介があれば診てくれる』って言う」
「怪しいじゃないですか」
「怪しいんだよ。で、案内されて行ったのはビルの地下。階段が薄暗くて嫌な感じ。でも降りてみると……」

となったりすることがあります。

話したいメインは怪しい地下に行った話なんでしょうけど、その前にトークになりそうなネタがいくつかある。腰が痛くていろいろな所に通っている時は、変わったマッサージ師との会話があるかもしれない。看板も出していない謎のマッサージ師を、その知り合いはなんで知っているのか？　信用できる知り合いなのか？　話を聞いたあと、行くかどうか迷ったのではないか？　などという前段階の方で話が広がったりします。もちろん、広がらない場合もありますけど。

【その前後】

その話の直前や直後にトークが広がることもあります。今度はTシャツの例で。

「Tシャツができあがった時の反応は？」

「今どき、デザインはWebで進行していたから、実物ができあがるまで、まさかこんなにコカ・コーラっぽいTシャツになるとは思っていなかった。モノが届いた時、みんなビックリした。最終確認をしたのは誰だ？　と責任者探しをして……」

なんて話があると面白い。さらに、

「でも、できあがったものはどうしようもないでしょ？」

「誰かが、後付けでコカ・コーラとのコラボTシャツにできないかと言い出して、おそるおそる営業経由で聞いてみたら、『先に言ってくれれば予算が出たのに』なんて言われて番組スタッフはガックリ」

なんて話があれば、エピソードが前後に膨らみます。もちろん、膨らまない場合もありますけど。


【その思い出】


過去に似たような経験があれば、その思い出をインサートしてもいい。

「そういえば中学生の時、オシャレだと思って買ったTシャツが、好きだった子にダサいと笑われて……」

なんて思い出エピソードがあれば、それをサンドイッチにして、トークは膨らみます。オードリーの若林さんはこれがうまい。なにか現在の話を進めながら、それから想起された思い出エピソードを、しかも当時のままの熱量で悔しがったり、腹を立てたりして、また現在の話に戻って…ということを自在に何度か繰り返したりします。

最近の話でコーティングしていれば、思い出もたんなる昔話にはならないのです。

トークの構成～順番

この章の冒頭で、アナウンサーの訓練された喋りはトークに向いていない、と書きました。けれどももちろん例外はあるわけで、アナウンサーの上手な喋りで、なおかつ自分の個性を出せるというスキルを持った方は何人かいます。私が仕事をした中では、古舘《ふるたち》伊知郎さんがそうでした。

古舘さんは、かつてライフワーク的な仕事で『トーキングブルース』というのをやっていました。ステージで二時間から三時間、たった一人でトークし続けるという圧巻のパフォーマンスです。私は何回か、その原案や台本作業に関わりました。

ある時、リハーサルの現場に立ち会いました。私が書いた分厚い台本を完璧に覚え、しかもそれに古舘さん一流のたとえやギャグを加えてより面白くしたものを、淀みなく活舌

よく喋るのです。もうそれだけで、驚きです。リハーサルを見ていて、

「一つエピソードを加えるのはどうでしょう？」

と私は提案しました。内容はまったく憶えていません。トークは大まかな内容ごとに、Aブロック→Bブロック→Cブロック…と流れていくのですが、

「Aのあとに、A－2というエピソードを足すのはどうでしょう？」

私がその場でだいたいの内容を喋ると、

「それは面白い」

と古舘さんは納得してくれました。

「すると、そのあとは、B→Cという順番じゃなく、C→Bの方がいいですね」

「たしかに」

古舘さんは少し頭の中を整理して、

「じゃ、ちょっとやってみます」

なんとすぐに、
Aブロック→A－2新規エピソード→Cブロック→Bブロック、という流れで淀みなく喋ってみせたのです。頭の中にブロック編集機能が備わっているわけで、天才というのはこういう人のことなんだなあ、とさらに驚いたのを憶えています。

普通の人は頭の中で即座に編集はできないでしょうが、順番を入れ替えるだけで、伝わりやすくなるケースは多くあります。紙に書いて、順番を入れ替えてみましょう。ただし、メモですよ。文章にしないこと。

第6章

「ニン」に合うトークとは?

「ニン」とは？

「ニンに合う／合わない」

という言い方があります。昔から、おもに歌舞伎や落語などの古典芸能で使われてきた言葉。

「あの役は、あの役者のニンに合わない」

「あの落語家のニンに合ってる噺《はなし》だ」

という言い方です。「ニン」の意味は、「ひとがら」「その人らしさ」「その人にふさわしい雰囲気」ということでしょうか。

漢字だと「仁に合う」と書いたりします。急に東洋思想めいてきました。儒教にある言葉は「仁《ジン》」。「巧言令色《こうげんれいしょく》 鮮《すくな》し仁《じん》」の仁です。儒教において最も重要な徳目で、意味は「人を思いやること」と理解すればいいようです。が、これはニンとは意味が違います。

漢字は、「人《ニン》に合う」の方が納得しやすい気もします。「任《ニン》に合う」でもいいのかもしれません。

英語なら、キャラクターという言葉も意味が近い。「キャラ」というと作りものめいてくるので、素の性格とか個性というシンプルな意味でのキャラクターです。日本の古典芸能は「型」を重要視するので、タイプという言葉も意味が近いかもしれません。

歌舞伎の場合「ある役柄＝ある役者」という「人対人の関係」で、合う／合わないと言いますけど、落語の場合「ある噺＝ある落語家」という「演目対人の関係」で、合う／合わないと言うことが多い。落語は一人ですべての役を演じるからそうなるのでしょう。共に、昔からずっと演じられてきてすでに観客側に共通するイメージがある既存のものに、現代の演者が似合っているかどうかということです。

この言葉は現在の芸能界でも使われます。とくにお笑いでは、

「ニンに合った漫才だ」

という言い方をします。でも、古典芸能と違い、漫才の場合ネタは自分たちであらたに作ります。過去にある既存のなにかに合わせる必要はありません。最初から自分たちに合うように作れるはず。なのに周囲から、合う／合わないという評価がされるとはどういうことなのか？

自分がどういう人間なのか、周囲にどう見られているかということは、意外に自分ではわからないということなのでしょう。

いっこく堂で気づいたこと

以前、腹話術のいっこく堂の脚本・演出・プロデュースを行っていたことがあります。

慧眼《けいがん》のプロデューサーがいて、抜群のテクニックはあるけど世間的には無名だったたいっこく堂を見て、「藤井さんの脚本でやったら面白いに違いない」とひらめき、私に声がかかったのです。

世間的に無名…とはいえ、いっこく堂はすでに子供たちを相手にした親子劇場の世界では超売れっ子でした。私が知らなかっただけ。お会いしてみると、子供向けも好きなのだが、もっと大人のお客さんにも芸を見てもらいたいと言う。それは当然でしょう。あれほどのテクニックを持っているのですから。そこで、私が脚本を書くことになりました。

これまで見てきた腹話術芸は人形と漫才をしているようなものが多かった。しかし私に声がかかったということは、それは求められていないのだろうと考え、一人芝居で行うショートストーリー的な脚本を書きました。とはいえ、人形と一緒にやるのですから、見た目は二人芝居ですが。

一番最初に書いたのが「ハリキリ兄さんの憂鬱」というタイトル。タイトルからして、普通の寄席演芸色がありません。どことなく小劇団っぽい。幸いなことに受けて、評判になりました。しかしこれ、書いた時は気づかなかったのですが、実際にやってみると問題があったのです。

ちょっとストーリーを紹介しましょう。

＊

いっこく堂は、子供番組で人気のハリキリ兄さんという役どころ。得意の腹話術でカンちゃんという人形を操ります。ところが番組が終わって楽屋に帰ると、ハリキリ兄さんはカンちゃんにドスの利いた声で「さっきのアレはなんだ」とダメ出しをされます。人間が、人形に叱られるのです（とはいえ、どっちもいっこく堂が声を出しているのですが）。

カンちゃんは、子供番組では腹話術人形らしく可愛く甲高い声で喋りますが、楽屋に帰ると野太く低い声。ここが、いっこく堂でなければできないポイント。今まで腹話術は甲高い声に決まっていましたが、彼は低い声も出せるからです。

子供番組では、カンちゃんはハリキリ兄さんに操られるただの人形。ところが実は自分の意思を持っているようで、ハリキリ兄さんもそれを受け入れている。カンちゃんは表裏がある性格らしく、お客さんの前では可愛い声で無邪気なのですが、裏では低い声で辛辣なことも言うのです。

子供番組のお兄さんは代々替わってハリキリ兄さんで七代目。ところが、カンちゃんは番組開始時からずっといる。つまり大先輩なのです。長年、歴代のお兄さんを見てきたカンちゃんが、七代目のお兄さんに説教をします。

「お前、そろそろ子供の仕事を卒業して、大人の仕事がしたいと考えてるだろう？」

とカンちゃんに指摘され、ハリキリ兄さんは言葉に詰まる。図星なのです。が、それは無理だと言われる。これまで六代にわたるお兄さんを見てきたカンちゃんにはわかるのです。なぜならば、

「お兄さんは、一度やったら一生お兄さんなんだ」

と子供番組で人気になったタレントの宿命を語ります。その証拠に、

「お前、最近アダルトビデオ借りたか？」

と問われ、ハリキリ兄さんが答える。

「こないだレンタルビデオ屋さんでエッチなビデオ借りようかなと思ったけど、周りの視線が気になって、『子猫物語2』を借りて帰ってきた」

さらには、

「歌舞伎町でエッチなお店に入ろうかなと思ったけど、『ハリキリさん、どこ行くんですか？』って言われたから、コマ劇場で『オズの魔法使い』を見て帰ってきた」

…という感じで物語は進んでいきます。

＊

レンタルビデオ屋とかコマ劇場とか、今となっては懐かしい言葉が出てきましたが、問題はそこではありません。

子供番組のお兄さんが健全なイメージに悩まされる、というのはよくある話です。その具体例として、たとえばアダルトビデオとか歌舞伎町という不健全ワードが出てくるのもコメディの文法として、定番です。だから私はごく自然にそう書いて、いっこく堂も脚本通りに演じました。

ところが、舞台を見てみると「なんか違和感があるな」と感じたのです。普通のお笑い芸人が同じようなセリフを言っても、たぶんあまり違和感はありません。が、いっこく堂のあの清潔感のある雰囲気、端正なルックスだと、セリフとして「言わされてる感」が強かったのです。ご本人も「ちょっとやりにくい」と感想を述べました。

「たしかにそうですね。じゃ、ここはカットしましょう」

つまり、「アダルトビデオ」や「歌舞伎町のエッチな店」というワードは、いっこく堂の「ニン」に合っていなかったということ。問題はそこだったのです。

これは私のミスです。原稿の文字面《づら》としては成立していても、実際にそれを喋って動く生身のいっこく堂としては、成立しなかった。初めて彼に書いた脚本なので、私がまだ彼のニンを把握していなかったせいです。

一方、子供番組のお兄さんという設定は彼のニンに合っていました。なのでこれは人気シリーズとなり、調子に乗って「ほがらか兄さんの誕生」「やすらぎ兄さんの逆襲」「やりくり兄さんの野望」……と、その後何本も脚本を書きました。どれもいいものができました。

デートネタの賞味期限

若手の漫才コンビはたいてい、「デート」ネタをやります。「彼女(彼)が欲しい」とか「理想のデート」とか「モテる方法」とか。どのコンビもそれぞれのやり方でネタを作り、それが受けて出世作となる場合もあります。

だいたいそれが二十代後半くらいでしょうか。売れたコンビはしばらくそのネタをやりますが、三十代半ばくらいからしだいにやらなくなります。もうさんざんやったから、他に新ネタがあるから、ネタをやる機会が減ったから…やらなくなる理由はいろいろあるのでしょうが、一番の理由は別のこと。

「もうあのネタはできないなあ」

という、本人の呟きを聞いたことがあります。だいたい彼らが四十歳の声を聞こうという頃でしょうか。

漫才はネタです。その中で語っていることが真実だとは、誰も思っていません。「彼女が欲しいなあ」と言っていても、それはネタのための嘘であって、本当は彼女がいる場合だってあるでしょう。でも、まだ売れていない二十代の若者が言うから、リアリティがある。まるっきりの嘘ではなく、彼らの中にある思いを何倍かに膨らませて語っている。見ている方も、彼らからそういう言葉が出てくることに不自然さがないと感じます。だから、嘘でもいいのです。

しかし、売れて世間的な知名度が上がった。金銭的にも余裕ができた。すでに結婚をしている場合もあるし、子供が生まれたケースだってある。そんな状況で、今さら「理想のデート」とか「モテる方法」という話題をやられても、見ている方は無理があると感じます。それでも「元々、作られた嘘のネタなんだし、すでに完成された芸なんだから、やってもかまわない」という考えもあるでしょう。けれど、やっている当人たちが無理があると自覚してしまうと、もうできなくなるのです。

落語やコントのように別の誰かになって演じる芸ではなく、漫才は素の自分として演じる芸です。ですから、素の自分の「ニン」と嘘としての「ネタ」の間にズレが生じてくると違和感が出てきます。多くの場合、漫才コンビのネタはだんだん、自分たちの「ニンに合うもの」に変わっていきます。たとえば、朝早く目がさめてしまうとか、健康のためにウォーキングをするとか……。

今これを読んでいるあなたは、たぶん歌舞伎役者でも落語家でもなく、おそらく腹話術師でも漫才師でもないでしょう。でも、あなたにもニンはあるのです。ですから、あなたがなにかトークを語る場合は、あなたのニンに合っている方がいい。

では、自分はどういうニンなのか？

ニンを構成するもの

「ニン」という概念は包括的で直感的で、その人物全体をカタマリで把握しているようなところがあります。

「あの役は、あの役者のニンに合わない」「合わないねえ」
「あの落語家のニンに合ってる噺だな」「合ってるね」
「ニンに合った漫才で面白い」「うん、合ってる」

などと言っているだけで、ファン同士での会話はなんとなく成立します。具体的なことはなにも言ってないけど、「私（私たち）はわかっている」という優越感が味わえ、同時に「世間にはわからない連中もいるだろうけど」という意味もうっすらと感じさせるベンリな言葉です。

第３章で触れた「盗んで覚えろ」にも似ています。私は、ベンリな言葉にはチェックのセンサーが働くのですよ。そこで、「盗めというのは、アドバイスする言葉を持っていないことの言い訳ではないか？」と考え、言語化のチャレンジをしてみました。

同様に、ここでは「ニン」という概念を解明できないか試みてみましょう。具体的な言葉で把握することができれば、自分のニンを認識する手助けになるのではないかと思います。

まず、「ニン」を構成する要素は、大きくは内面と外見に分けられます。

【内面】

その人の性格や、考え、得意不得意、こだわり、好き嫌い…といったこと。陽気だったり、引っ込み思案だったり、へそ曲がりだったり、せっかちだったり、のん気だったり……。キャラクターという言葉がこれに近いかもしれません。そういった内面から出てくる発言の内容（過激だったり、温厚だったり）や、喋り方（早口だったり、ゆっくりだったり）がその人の印象を作ります。

あなたはどういう性格でしょうか？　いつも静かな人が急に陽気に喋り出すのは変だし、たぶん相手もビックリします。ふだん考えてもいないことを、付け焼刃の知識でカッコつけて喋ってみても相手に届きません。ニンに合っていないからです。面接のトークでうまくいかないのはこれです。

人は、自分の中にあるものしか外に出てこない。それがあなたのニンを作ります。

でも内面は「ニン」の半分。残りの半分は、他人からの外見——目で見える外見と、情報として認知される外見、によってできていると考えます。

さて、ここからの表現が難しい。

いま世の中では、人を見た目で判断してはいけない、年齢による偏見や差別はいけない、肩書や経歴で判断するな、と言われています。ルッキズム（外見重視主義）とかエイジズム（年齢主義）というもので、それはその通りだと思います。最近は日本でも、エントリーシートや履歴書に顔写真や年齢はいらないという企業も出てきています。

しかしニンは、外見を抜きにしては語れない。

【見た目】

背が高い／低い。痩せている／太っている。髪の毛がフサフサ／そうでもない。イケメンあるいは美女である／そうでもない…など（かなり表現に苦労していることにお気づきでしょう）。これらは、自分ではどうしようもないこと。

一方、自分で選べる見た目もあります。髪の毛は、ロングヘアかショートヘアか？　七三分け、ボサボサ、スキンヘッド……。毛を染めたり、髭を生やしたり……。

ファッションも重要な見た目です。ふだんからおしゃれな人、どうもあか抜けない人、いつも同じ服装の人、奇抜なファッションをする人……。アクセサリー、バッグ、腕時計などの小物もそう。高級なものを身につける人、無頓着な人、身につけない人……。すべて自分で選んでそうしているわけですから、「周囲にどう見てもらいたいか」という見た目のアピールです。

ふだんからTシャツ・ジーンズ姿の人とスーツ姿の人とでは、同じことを言っていても印象が違います。

あなたはどういう見た目でしょうか？　身体的特徴は、一般的にはプラス評価されるものとマイナス評価されるものが決まっています。しかしニンの場合は、いわゆるイケメンであっても「なんか鼻にかけてる感じがする」とマイナス評価だったりすることもあって、そこが面白い。ファッションも同様です。

【声】

声と喋り方もニンを構成する大きな要素です。一般的に低く落ち着いた喋りは説得力があり、信頼感を生みます。甲高い声で早口の人は、長く聞き続けると疲れてしまいます。

とはいえ、そこには聞く側の好き嫌いも入ってくるので、一概に言えません。それに、声質は生来のもの。今さらどうしようもありません。せめて喋り方で工夫するしかなく、それで世間には話し方教室のようなものが存在しているのでしょう。

【年齢】

年齢は、自分ではコントロールできません。人は等しく年をとっていきます。見た目ともリンクしますが、世間は名前の下に書かれた（○歳）という数字にけっこう印象を左右されるのです。そして、自分のことなのに、当人もそう思ってしまう。

人は普通、若い時は「もっと大人びて見られたい」と思い、ある程度年齢を重ねてくると逆に「もっと若く見られたい」と思う。わがままなものです。年齢が「若い」か「年輩」かというだけで、印象にはそれぞれプラス面とマイナス面があります。

Ａ「若い」のプラス面――新しい、情報通、時代とマッチ、失敗しても許される…など。

Ｂ「若い」のマイナス面――未熟、不安定、青くさい、生意気…など。

Ｃ「年輩」のプラス面――思慮深い、安心感、安定感、枯淡…など。

Ｄ「年輩」のマイナス面――古臭い、守りに入っている、時代遅れ…など。

年齢の如何《いかん》にかかわらず、人は常にプラス面が欲しい。だから年輩の人はＡを得るために若いファッションをし、アンチエイジングに余念がない。逆に若い人はCを得るために、男性は髭をたくわえたり、女性は大人びたファッションをする。そんなことはなにもしなくても、白髪交じりで顔に皺《しわ》が刻まれた男性の言うことはそれなりの説得力を持つ。あえて髪を染めないグレイヘア宣言をする女性の発言は、急に説得力を増したりするのです。

同じことを言っていても、若い時は周囲から「生意気」と思われ、年をとってくると周囲に納得される。逆に、若い時はその人に合っていた発言が、年をとってくると「まだそんなことを言ってるのか」とたしなめられる。そういう経験のある方も多いでしょう。実年齢とニンとが合わなくなってくるわけです。

歌舞伎役者や落語家の場合はとくにそう。若い時はニンに合わなかった役柄や噺が、年をとるとニンに合ってきたというエピソードはよく聞きます。その反対が、「漫才師は年を経るとデートネタができなくなる」ということなのでしょう。

あなたはいくつでしょうか？　年相応の話題を選んでいるでしょうか？　背伸びしたトークをしていませんか？　若いのに年齢以上の訳知り顔で語ってしまう、年配なのに無理して本当はよく知らない若者言葉を使っている。両方とも、背伸びです。恥ずかしながら、私も時々やってしまいますが……。

【属性】

一番大きなのは男女差です。同じことを言っても男性だと納得され、女性だと生意気だと思われることは多い。男社会の弊害です。

その人が独身であるか結婚しているかで、周囲の受け止め方が変わる場合もあります。何人かの子供を育て上げたお母さんが持つ説得力は、本人の自信もあるのでしょうが、周囲がそういう情報込みで見ているからでもあります。高学歴であるとか、どんな職業であるかとか、お金持ちのボンボンであるとか、若い時から苦労をしてきたとか…見た目や年齢からはうかがいしれないそういう情報も含めて、ニンはできあがります。

男は男らしく女は女らしくというジェンダーバイアス(社会的性差の偏見)は周囲からのものですが、自分自身がそれに取り込まれてしまう場合もあります。社会的な立場によって周囲の反応が変わるのは人の世の常。それへの対応によって、あなたのニンができあがります。

【キャリア】

これは年齢ともリンクしますが、経験を積むことで、周囲からの評価も積み上げられていきます。過去の仕事の評価も加わってくる。周囲の高い評価も、低い評価も、ニンに加わってきます。「社長」は「社長」として世間に遇され、それへの対応によって、尊大であるとか、意外に腰が低いとか、気さくであるとか、重みがないとか…その人のニンができあがります。

出世していないということもまた、ニンになります。そしてそれはマイナスとは限らないのが、ニンの面白いところです。

身も蓋もないことですが、あなたのキャリアはあなたが作る。なんだか転職サイトの広告みたいになってきました。自分の中にある経験が外に出る。それが、あなたのニンを構成する一つの要素になります。

以上書いてきた内外すべての要素がレイヤーとなって何層も重なり、その人の「ニン」ができあがるのだと思います。

しかしこうやってみると、ニンはルッキズム、エイジズム、ジェンダー…と昨今重要視され、問題視される価値判断と密接な関係にあります。

けれど面白いのは、一般的な世間でのプラス評価マイナス評価は、ニンにおいては必ずしもそうではない、という点。そして、AさんのニンとBさんのニンは違っていて当然、そこに優劣はなく、ただ「Aさんらしい」「Bさんらしい」というだけ。その人はそういう人なんだからという認識があるだけ、という点。

だから、「ニンがいい／悪い」という言い方ではなく、「ニンに合う／合わない」という言い方なのでしょう。

どうやらニンは、ダイバーシティ（多様性）だけは早くからクリアしていたようです。

自分のことを話すトークは、自分のニンに合ったものの方が説得力がある。当然です。

逆にニンに合っていないトークは聞いていて辛いし、おそらく喋っている方も辛いのです。

パブリックイメージとセルフイメージ

人にはパブリックイメージとセルフイメージというものがあります。

周囲がその人に対して持っている印象が、パブリックイメージ。あの人はインテリだとか、ケチだとか、恋多き女だ…とか。一見人物まるごとを表しているように見えて、実はその人の一部を拡大したものにすぎません。これに対して、自分が思っている自分のことがセルフイメージ。俺はけっこうイケメンだとか、人見知りだとか、私ってモテないから…とか。一見冷静に見えて、これもまた自分の中の自信や不安の一部を拡大したものです。

多くの場合、二つのイメージにはギャップがあります。そのギャップを辛く感じる時がありますす。パブリックイメージとセルフイメージの乖離《かいり》について、セミナーや自己啓発本ではきっと、「もっと自分を謙虚に見つめて」とか「もっと自己肯定感を持って」などとアドバイスするのでしょう。

しかし、そんなの違って当たり前ではないですか。

前述したニンの半分である他人からの外見――見た目・声・年齢・属性・キャリアなどがパブリックイメージ、もう半分である内面がセルフイメージだと考えれば、両方合わさってこその、その人らしさ。謙虚になったり、自己肯定感を持つのは悪いことではありませんが、個々の要素が違っているのは当然なのです。

トークの場合、パブリックイメージ通りの内容はわかりやすいのですが、いつも同じ色になりやすい。一方セルフイメージ一辺倒のトークはホンネが出ていいのですが、独りよがりになりやすい。両方がバランスよく混ざったトークの方が、その人らしさが出ます。「インテリの堅物だと思っていたけど、ダメ男の一面があるのか！」とか「恋多き女に見えて、そんなに自分に自信がないの？」とか。

しかも、見た目やキャリアは年齢と共に変化するのですから、パブリックイメージとセルフイメージの混ざり具合も変化します。若い時にはできなかったトークが数年経てばできるようになるのというのは、そういうことでしょう。

無理をしたってしょうがない

若い女性アイドルが、バラエティ番組で、必死に自分のキャラづけをしているのを見ることがあります。「不思議ちゃん」をアピールしてみたり、「腐女子」「××オタク」「おバカ」など。はては「霊感がある」とか、あげくは「××星人」とか言い始める。こういうのはわかりやすいパターンですが、「私ってサバサバしてます」とか「こう見えて下ネタも平気です」とか「料理好きで家庭的です」などというアピールも同じ。

「ああ、無理をしているなあ」

と思うことがあります。もっと自然でいいのに、と。

私が、女性のトークについて、

「無理にオチなんかつけなくてもいい」

とよく言うのはそういうことです。芸人ではないのですから、普通の女性がトークの最後で用意してきたそこそこのオチを決め、いわゆるドヤ顔をされてもなあ…と思ってしまう。そういうのって、普通の女の子の「ニン」に合っていないと思うのです。

それこそがジェンダーバイアスなんだと言われてしまえば、そうなのかもしれません。もっとも男だって、「昔はワルだった」とか「若い時はムチャしたものだ」「××オタク」とか、あるいは「家事は平等に分担してやってます」などのキャラづけアピールをする場

合があります。これもまた、

「無理をしているなあ」

と思います。どっちもどっちなのかもしれません。

キャラを作ったり、背伸びしたり、パブリックイメージに合わせたりしなくてもいい。人は、その時点で自分のニンに似合わないことは、無理をしなくてもいいのです。

オジサンのクリスマス

第2章で、女性アイドルAちゃんのラジオ番組のトーク台本のパターンがあったのを憶えているでしょうか。デビューしたての十七、八歳の女の子。クリスマス前の放送です。

「こういう特別な日は、誰でも喋りやすい」と書きました。そう、誰でも、です。

では、女性ではなく、男性なら？　しかもアイドルではなく、オジサンの場合はどうでしょう？　オジサンにはオジサンとしての「ニン」があるのです。

ここで、オジサンタレントBさんの場合、トークはどうなるのか？　同じトーク台本でやってみましょう。

Bさん

もうすぐクリスマスです。

○街はイルミネーションであふれている。
（表参道が有名）
＊あそこはカップルだらけで、オジサンとしては居心地が悪い？
＊昔はイルミネーションって言ってたっけ？ 飾り付け？
＊ライトアップなんて、当然なかった。
＊プロジェクションマッピングなんて、つい最近！

○子供の頃、クリスマスは楽しみだった。
＊昔の家庭のツリーは雪が「綿」だった。あれ、いま考えるとビンボーくさい。
それでも十分楽しかったけど。
＊明かりは黄色とか赤っぽい色が多かった。今は青っぽくて、クール！ ＬＥＤとかのおかげだろうか？

＊どんなケーキでした？
＊最近はスーパーでも売ってるけど、ちょっと前まで七面鳥の肉なんて見たことなかった。
＊子供の頃、嬉しかったクリスマスプレゼントは？
〜など

○クリスマスってのは、子供とカップルのものだね。
＊あと、小さい子供を持つ若いパパママのもの。

○毎年この季節には、サンタのトナカイのソリを追跡するサイトが人気。
（知ってますか？）
＊あれは、「北アメリカ航空宇宙防衛司令部」という組織がやってます。
Amazonとかヤマト、佐川がやってる荷物の追跡システムより、何十年も早い！

〇クリスマスは、子供の時、大人になった時、それぞれで違う楽しみ方がある。

〜などご自由に

こんな感じになるでしょうか。触れる項目、トークの流れは同じですが、オジサンのニンとして言いそうなこと、思い出としてありそうなことを書いています。これをフックにしてなにか話してくれればいいという進行台本。

これもまた、この通りにトークをする必要はなく、自分になにかエピソードがあれば、トーク台本なんか無視して、その話をすればいいのです。

同じクリスマスについて話しても、若い女性とオジサンとでは違うトークになる。同じ光景でも、それぞれに見ているもの、感じることが違うし、思い出は違うのですから、当然のことです。

そしてもちろん、世の中には若い女性とオジサンしかいないわけではありません。いろんな年齢の女性、男性がいます。それぞれに感じるものは違うし、もちろん育ってきた時代、場所、環境も違うのですから、クリスマスのトークは無限にあるはずです。

さらにそれは、クリスマスに限りません。海に行った時、山に行った時、洋服屋さんに行った時、スーパーの食料品売り場に行った時、あるいは一日中家の中にいた日だって…それぞれのニンで違うトークになるはずです。

そうすると、トークのテクニックをあれこれ指摘するのは、どうも枝葉末節な話のような気がしてきました。前章までのことを考えると身も蓋もない話になってしまいましたが。

第7章

トークの居場所

大きなスピーチバルーン

漫画のセリフのフキダシのことをスピーチバルーンといいます。口から風船みたいに出ているからでしょう。

漫画のセリフはだいたい短い。普通は、小さなスピーチバルーンがぽこぽこと宙に浮かんでいます。が、たまに長いセリフがあると大きなスピーチバルーンが漫画のコマいっぱいを占めます。コマからはみ出している場合もあります。当然、中に書かれているのはその登場人物が相手に聞いてもらいたい――と同時に読者に読んでもらいたい――内容なわけで、私たちは読みながら「ふんふん、そういうことか」と理解します。

トークというとらえどころのないものを可視化すると、この大きなスピーチバルーンみたいになるのではないかなあと思います。いわば、トークバルーン。

漫画は作品によってスピーチバルーンの形が違います。文字通り風船みたいに真ん丸な場合もあれば、縦に細長かったり、横に膨らんでいたりする。雲みたいにモコモコしているのもあります。太い線もあれば、細い線もある。点線の場合は小声だったりする。カクカクした四角いスピーチバルーンのこともあります。

たぶん、その作品世界にピッタリの形が選ばれているのでしょう。そして状況によって、中に収める内容によってバルーンの大きさ、形が違います。

スピーチバルーンの枠内いっぱいに文字がびっしりつまっていて、「いや、言いたいことがいっぱいあるのはわかるけど、それじゃ読む気しないよ」というケースもあります。「もうちょっと文章を整理してくれ」、あるいは「二つのバルーンに分けてくれないかな」と。実際、そうすればぐっと読みやすくなったりします。

ほどよい大きさのバルーンに、ほどよい配置で文章が並んでいると、「いいね。読みやすい。言ってることがよくわかる」となります。

このへんも、私たちのトークが漫画のスピーチバルーンに似ているところではないかと思います。丸かったり、雲みたいにモコモコしてたり、四角かったり…と。

小さな子供が…

たとえば、小さな子供が小学校から帰ってきて、

「お母さん、今日学校でこんなことがあったよ……」

と息せき切って話し始める。現在お子さんのいる家庭、あるいはかつて子供が小さかった頃には、多くの方が経験あることでしょう。

その日学校で起きたこと、先生に聞いた話、友達の話、あるいは下校時に見つけたなにかのこと…子供にとっては話したいこと、聞いてもらいたいことがある。つまりは、トー

クです。

当然、話し方はうまくありません。切り口、語り口どころではない。描写も説明も下手くそ。誰かの名前を出したところで、それがいったい誰なのかわからなかったりします。構成はメチャクチャだし、当然オチもありません。語彙は少なく、もちろん活舌は悪く、きっとアクセントもヘン。でも、自分が面白かったこと、興味を持ったこと、発見したことを聞いてもらいたいという気持ちは十分に伝わります。

気持ちが伝われば内容も伝わるものです。テクニックなんかどうでもいい。……まったく、これまで私がアドバイスしてきたことはなんだったのかとも思いますが、まあそれはしょうがない。

小さい子供は言いたいこと、伝えたいこと、誰かに聞いてもらいたいことが体中に溢れている。だからどんどんスピーチバルーンが口から出てくる。まだ小さくて、形は不恰好なバルーンだけれど。

お母さんはその話を聞いて、「へえ、そうだったの」とか「すごいねえ」とか感想を言い、褒めてあげたりもする。すると子供は、自分の言葉がちゃんとお母さんに届いたことが嬉しい。二人は、その場にふわふわと浮かんだスピーチバルーンを、「面白い形のバルーンね」「色もいいでしょ?」なんて共有したわけです。

バルーンはしばらくその場に漂い、やがてシャボン玉のようにパッと消えてしまう。二人の間に残るのは「面白かったね」という感想だけ。トークの原点とは、こういうものなのかもしれません。

スピーチと言ったりトークと言ったり、風船だったりシャボン玉だったり…たとえの言葉がゴチャゴチャと渋滞を起こしていて、申しわけない。ここからは「トークバルーン」と呼ぶことにしましょう。

個性と共感と共有と

結局のところトークは、自分が喋ったことを相手に共感してもらい、できればそれで楽しんでもらいたいのだと思います。

共感といっても、

「完全に同意する。あなたの言ってる通りだ」

というものだけではありません。それだったら、「徹夜は体によくない」とか「人のものを盗んではいけない」とか「戦争はよくない」とか言っていればいい。誰だって「もちろんそうだ」と共感してくれますから。そうではなく、あなたが経験したことや、あなたの考えや思いを語ったことに対し、

「私にそういう経験はないけど、同じ立場におかれたらそうするだろう」

という共感もあれば、

「同意できないところもあるけど、言わんとすることはわかるよ」

という共感もあれば、

「よくわからないとこもあったけど、なんか面白かったよ」

という共感もあるということです。

喋り手の「個性」を聞き手側に「共感」してもらい、ふわふわと宙に浮かんだトークバルーンを、その場にいる人たちで「共有」し、

「今日のは見事なバルーンになったね」

「なんだかキラキラ輝いてる」

なんて、その姿や形を愛でる。

同じ内容を何度か喋っても、その日によって微妙に違う形のトークバルーンになるので、

「今日のはなんかいびつな形になったね」

「すごく大きなバルーンじゃないか」

なんていう時もある。

いずれにせよ、やがてほわっと消えてしまい、

「面白かったね」

という思い出が残るだけなのでしょう。

『だが、情熱はある』

『だが、情熱はある』というテレビドラマがありました（2023年 日本テレビ）。オードリーの若林さんと南海キャンディーズの山里さん〈山里亮太《りょうた》〉の、芸人としてなかなか認められない青春時代を描いたドラマです。若き日の若林さんを髙橋海人《かいと》さん、山里さんを森本慎太郎さんが演じました。話題になり、賞もとったドラマなのでご存じの方もいるでしょう。

ドラマの中に、『フリートーカー・ジャック！』という番組で若林さんが藤井青銅という放送作家と出会うシーンがあります。この本の第1章に書かれているエピソードのシーンです。

ドラマスタッフの遊び心というか、冒険心というか、いや無謀というか、

「青銅さん、本人役で出てくれませんか？」

と言われました。私はこれまで、ドラマはたくさん書いてきましたが、出るとなると別の話です。

「芝居は素人。下手くそですよ」

と返事すると、

「それでもいいです。ぜひ」

とおっしゃるので、(ワンシーンだし、なんとかなるか) と思って出演しました。

当時と同じラジオ局でのドラマ収録でした。若き日の若林さんに「どんな話があるの？」と聞く私。若林さんは相方・春日さんのケチ・エピソードのトークを始めます。それは面白いのだけど、私が「そうじゃなく、きみ自身のトークを聞きたい」という意味のことを言う。

急にそんなことを言われて困った若林さんは、自分たちは売れないお笑いコンビなので、ライブを開く会場費もないから相方が住んでいる「むつみ荘」で小声トークライブをやるしまつ。自分はお金がないから彼女とファミレスに行くこともできず、公園で蚊に刺されながらデートしていて、情けないし、彼女に申しわけない…というトークをします。自信なさげに。

すると私が、「その話、面白いね」と反応し、

「人がね、本気で悔しかったり惨めだったりする話は面白いんだよ」

と言う。この時彼は心の中で、

(自分の話をしてもいいのか。パッとしない自分のこういう情けない話でも、誰かに面白がってもらえるんだ!)

と気づく。

いいシーンです。いいセリフです。いえ、自分のセリフを「オレ、いいこと言うだろ?」と自慢しているわけではありません。これを書いた脚本家(今井太郎さん)によるいいシーン・いいセリフだ、という意味です。

というのは、私はたしかに当時「こんな内容のこと」を若林さんに言っています。その後、何度か言っていると思います。が、こういうシーンでこういうセリフ回しでは言っていないからです。でもそこは、ドラマ上の嘘。私は脚本家でもありますから、よくわかります。

のちにプロデューサーは、

「あのセリフは青銅さんのセリフですから」

と言ってくれ、私の芝居の下手さには目を瞑《つぶ》ってくれました。

マイナスはプラスになる

野暮を承知でいえば、

「人がね、本気で悔しかったり惨めだったりする話は面白いんだよ」

という言葉は、

「人の不幸は蜜の味。他人の失敗を笑え」

という意味ではありません。

「いかにも芸人らしい突飛な行動やおかしな経験でなくてもいいんだ。キミは自分の話を誰かに聞いてもらいたいんだろ？　自分に興味を持ってもらいたいんだろ？　うまくいかずに悔しかった、恥ずかしかった、せつない、惨めだったとか、本気で聞いてもらいたいことの熱量は相手に伝わる。だったらキミのそのトークを面白がってもらい、結果的に笑ってもらえばいい。いや、笑ってくれなくても、共感してもらえればいいじゃないか」

ということ。

さらにもう一つ、野暮を重ねると、これは芸人志望の若者だけの話ではありません。なにかに頑張っているけどなかなか他人に認められなくて、自分はダメなんじゃないかと思っている若者に、

「その惨めな思い、うまくいかない悔しさは、きっと誰かに伝わる。伝わって、キミの方を見てくれるよ」

ということ。だからこのドラマは、お笑いファン以外の方にも共感されたのでしょう。

その後、私はオードリーとオールナイトニッポンをスタートさせ、毎週会うことになるのですが、時々若林さんは、

「嫌だったこと、辛かったこと、悔しかったことも、のちにみんなトークにできると思えば最強じゃないかと思った」

という意味のことを言いました。

よく「人生において無駄はない」なんて言います。その時は、役に立たないこと、ただの寄り道、無駄な行為…と思ってやっていることも、のちの人生のどこかでふいにつながってきて、意外に役立つことがあります。ああ、あの時のあれは無駄じゃなかったんだなあ、と思います。

マイナスばかりを積み重ねていると思っていたけど、そのマイナスがプラスに転じることもあるのです。そうやって生まれたトークバルーンを、

「ほう、これはなかなか深い色つやのバルーンですね」

「しばらく寝かしておきましたからね」

「なるほど。熟成ものですか」

なんて言いながら共感し、共有すればいい。

人生があってトークがある

人は、トークのために生きてるわけではありません。生きて生活している中からトークが生まれる。それはとくに意識しなくても、いつの間にか生まれる。

人は人生の過程で、いろいろなトークの芽を胸の中に抱えてきました。トークをするということは、それをトークバルーンとして取り出して、誰かに聞いてもらうということ。

＊

小学生の子供は、まだ小さくて形がいびつなトークバルーンを、息せき切って聞いてもらう。「ねえねえ、お母さん」……

＊

学生時代は仲のいい友達と、学校の放課後とか、部活帰りとかに、えんえんとお互いのトークバルーンを披露しあう。「アハハ、面白い形だ」と笑い、「なんだその話は！」なんて相手のトークバルーンをけなして、やっぱり笑う。あとになって考えると、いったいなにをあんなに喋っていたのかとも思うのだけれど……

＊

つきあい始めたばかりの恋人たちは、お互いに自分のことを知ってもらいたいし、相手のことを知りたい。初めて知る相手のトークバルーンに驚いたり、うっとりしたり。そして交換に、自分のトークバルーンを披露して…

＊

会社帰りの居酒屋では、学生時代の武勇伝とか会社の噂話のトークバルーンがあちこちにぷかぷか漂っています。それはもう何十回も披露され、すっかり完成された色や形。とはいえ、それにうんざりしている若手もいたりするのですが…

＊

Podcastでは、ふだんは普通のＯＬが喋る、なんだか自分でもよくわからないふわふわむにゃむにゃとした形のトークバルーンが好評だというのが、自分でもさらによくわからない。けれど、「好評みたいだから、ま、いっか」なんて思って、今日もヘンテコなトークを披露したり…

＊

「この街にはなにもないですよ」と言っている街の、シャッター通り商店街の中でひっそり営業している店では、「爺さんの代にこんなことがあってね……」なんてトークを…

＊

クリスマスを前にしたアイドルは「子供の頃、ウチはなぜかツリーを飾らなかったんです。というのは、お隣がツリーとイルミネーションのすごい個人宅で……」なんてトークを…

*

真夏に我慢大会を開いた男は「あまりの暑さにビデオデッキが故障し、中に入った『アラビアのロレンス』のビデオを取り出すのが大変で……」なんてトークを…

*

キューバの海岸の堤防に並んで座っている人々は「今日昼間、葉巻工場でね……」なんてトークを…

*

それぞれの人生が生み出した、それぞれ違う大きさの、違う形の、違う色のトークバルーンを、目の前の相手と、あるいは数人の仲間とで共感しあい、共有する。けれど、どんなに受けても、それはしだいに薄れて消えていき、あとには、
「面白かったね」
という印象だけが残る。
トークってのは、そういうものなのかもしれない。

おわりに

「青銅さんはずっとショートショートを書いてきたからじゃないですか?」

と先日、知り合いに言われました。

私が誰かのトークを聞いて、「そこはいらないかもね」とか「そこを膨らませたら?」とアドバイスし、「その話の面白がりどころって、ここじゃないかな」などとポイントを絞ることが不思議だったようなのです。

私としては「いや、そんなの誰だってできるでしょう」なのですが、彼はそうは思わないようで、思いついた理由がショートショートだったと言います。

ショートショートという小説は原稿用紙十枚とか五枚とかの短い枚数の中に物語を収めなければなりません。テンポよく物語を進めないと、あっという間に枚数をオーバーしてしまう。いつも、考えたストーリーのどこをカットするかで悩みます。描写も、短く的確に伝わるように気をつけます。といって、「あらすじ」みたいな小説はつまらない。ある程度、アソビの部分も残したい。なので物語のポイントを見極め、エピソードの取捨選択をします。

逆に、浮かんだのが短いアイデアだった場合は、あの手この手でそれを膨らませ、なんとか一本に仕上げる方法を考えます。

言われてみればたしかに、ショーショートを書くこととトークにアドバイスをすることは、似ている部分が多い。

「ああ、そうだったのかあ！」

そんなこと、指摘されるまで思いもしませんでした。

この本の中で私は、人は「見ているのに見えていない」とか「外からの視点が必要」なんて偉そうに書いていますが、なんのことはない、この件に関しては自分自身が見えていなかったわけです。

本書の「はじめに」で、《私の肩書は「作家・脚本家・放送作家」と書かれることが多い》と書きました。

脚本家として、私は十分や十五分というショートドラマを多く書いてきたので、これもアイデアの転がし方はショートショートと同じ。さらにドラマは、放送の途中でスイッチを切られないよう「それで？　それで？　どうなるの？」という途中経過の面白さを意識していました。作家・脚本家・放送作家の中で、放送作家だけ少し違う作業のように書いていましたけど、実はみんな同じことだったのかもしれません。

その放送作家業で、これまで私は番組ごとパーソナリティーごとに、トークのお手伝いをしてきました。が、こんなにまとめてトークについて考えたことはありません。おかげで自分の頭の中の整理ができましたし、発見もありました。番組でアイドルや芸人さんたちのトークにつきあってきたことは、実は私自身にとってもトークの教室だったのだなあと気がつきました。

今回、それをまとめる機会を与えてもらったことに感謝しています。「需要ある／なし」の押し問答で何度となく私にそれを勧めてくれた若林さんにも、もちろん感謝。

とはいえ、私は往生際が悪いので、書き終えた今も実はいろいろと反省しているのです。まず、この本で私が「こういうトークがいいトークだ」と決めつけてしまっていないか、ということ。もちろん人によって状況によっていろいろなトークがあっていいわけで、ここに書いているのはその一つにすぎない。「ああ、こういう考え方もあるよな」という参考になれば、それでいいのです。

次に、読み返してみると落語に関連する話が多いなあ、とも反省。これは、落語が話芸としてトークの先輩だから……という意味はもちろんありますが、要はたんに私が落語好きだからです。

そして、自分の本の話もちょっと多かったかな、と反省。小説やエッセイのエピソードはトークに関係ありそうだからまあ許してもらうとしても、『ゆるパイ図鑑』の話はいらなかったんじゃないか。「ただこの変なタイトルを言いたかっただけだろ！」と自分にツッコみながら、反省。

さらに、「紙上トークレッスン」の中山さんに関しては、「思い切って古着ネタにしてもらった方がよかったなあ」と、いまも後悔しています。我ながら、本当に往生際が悪い……。

でもこれらはみんな、私の経験によって、私の頭の中から出てきたもの。うまくいったことも、いかなかったことも、今もグチグチと反省やら後悔していることも含めて、それが私なのだからしかたがない。世間の一般的な考えと違っているかもしれないけど、私はこう思うこう考えるということを書いているわけで、そういう意味でこの本は私自身のトークなのかもしれません。

少し長いけれど、私のトークバルーンを面白がってもらえると嬉しい。

藤井青銅

協力＝株式会社ケイダッシュステージ、
ジャガモンド斉藤正伸、中山塁

河出新書 073

トークの教室《きょうしつ》

「面白《おもしろ》いトーク」はどのように生《う》まれるのか

二〇二四年二月二八日　初版発行
二〇二四年三月二〇日　2刷発行

著者　藤井青銅《ふじいせいどう》
発行者　小野寺優
発行所　株式会社河出書房新社
〒一五一-〇〇五一　東京都渋谷区千駄ヶ谷二-三二-二
電話　〇三-三四〇四-一二〇一［営業］／〇三-三四〇四-八六一一［編集］
https://www.kawade.co.jp/
マーク　tupera tupera
装幀　木庭貴信（オクターヴ）
印刷・製本　中央精版印刷株式会社

Printed in Japan　ISBN978-4-309-63175-2